Ⓢ新潮新書

松尾太加志
MATSUO Takashi

間違い学

「ゼロリスク」と「レジリエンス」

JN030105

1048

新潮社

はじめに

DX（デジタルトランスフォーメーション）が叫ばれ、いろいろなものがデジタル化されて非常に便利になってきた。スマホひとつあれば、何でもできるようになった。人間にとっては面倒な手続きや処理を機械がやってくれるようになったからである。しかも機械相手だと24時間いつでも使えるし、ネットを利用すれば、居ながらにして何でもできてしまう。そして、機械はミスをしない。だから機械に任せられる。

でも、本当に「ミスがなくなった」と言えるだろうか。残念ながらそうではない。2023年、マイナンバーカードをめぐるトラブルが多く報道された。保険証の紐づけが間違ったり、公金受取口座の登録やマイナポイントの付与が別の人になされたりといったミスが相次いだ。

どんなに機械化やDXが進んでも、人間のために作られたシステムである以上、どこかで人間が関わることになる。その人間が関わるところでミスが生じる。それが「ヒューマンエラー」である。

ヒューマンエラーによる事故が後を絶たない。2024年1月に羽田空港の滑走路で日航機と海上保安庁の飛行機が衝突した。日航機の乗客・乗務員が全員無事だったことは幸いだったが、海上保安庁の5人の方が亡くなった。まだ事故調査による原因は明確になっていないが、機械のトラブルではなく、なんらかのヒューマンエラーであっただろう。ただし、ここでエラーをした人を責めてはいけない。

エラーをしたいと思っている人はいないはずだ。それでもしてしまうのは、自分では間違っていることに気づけないからである。もちろん、場合によっては気づいていないわけではなく、間違っているかもしれないと思いつつ、やってみると、やっぱり間違っていたということもある。いずれにしても、行動をしようとしている時点では、間違いだということはわかっていない。

なぜ間違っていることに気づかないのだろうか。それは、その人の素質の問題なのだろうか。知識やスキルがないからだろうか。あるいは注意深さが足りないからだろうか。

そうではない。ヒューマンエラーをするのはその人がおかれた状況がそうさせてしまっていることが多い。本書ではそのような事例を紹介する。たとえ、知識やスキルを身につけたり、注意深くしていたつもりでも、間違うときは間違ってしまう。なおかつ間違いに気づいていない。

そのため、ヒューマンエラーをなくすには、気づいていない間違いに気づくようにすることが第一である。ただし、間違いに気づくように自分自身の行動を注意深く自己観察しなさいといったところで何も解決しない。精神論ではダメなのだ。間違いに気づくようにうまく工夫をすることが、エラーをなくすことにつながる。

では、どうすればよいか。本人が気づかないのだから、外から気づかせるしかない。私たちは実際にはいろいろな場面で間違いに気づかされ、エラーを回避している。

不特定多数の人が使う機器の場合、多くの人が間違うので、貼り紙がしてあることがある。「ここを押す」といった具合である。おそらく、押すべきボタンをみんなわからないのであろう。逆に「電源は切らないこと」とか、やってはいけないことが書いてあったりもする。その機器を使う場面（状況）におかれたら多くの人が同じ間違いをしてしまうのだろう。先に述べたように、人間側の問題ではなく、その状況がエラーを起こさせているのである。

本来であれば、わざわざ貼り紙をしなくても、どのボタンを押すべきかがわかるような設計にすべきなのである。正しい操作、正しい行動をスムーズに行えるような機器が理想である。しかし、それ自体はなかなか難しいことが多い。だから、貼り紙で間違っていることに気づかせて、エラーを防ぐわけだ。

ヒューマンエラーは時代とともに変化する。機械化・電子化されていくと、昔は問題であったヒューマンエラーが減り、新たな問題が起こる。たとえば、スーパーなどのレジでは自動釣銭機や自動精算機が導入され、さらに現金以外の支払いが多くなり、釣銭の間違いがなくなった。一方で現金以外の支払いではカードやスマホを使うのだが、使い慣れないと、戸惑ったり間違った操作をしたりすることがある。

一方、こういったIT化はヒューマンエラーを防ぐ技術にも役立てられる。間違いを気づかせるのに有効な手段となるのである。機器から警告が出されたり、何をしたらいいのかを教えてくれたりする。こういった機能を「電子アシスタント」と本書では呼んでいる。いずれにしても、間違いに気づかせることが鍵となる。

自分では気づくことができないので、外から気づかせる。考えてみれば単純なことだ。外から気づかせる手がかり、それを「外的手がかり」という。外的手がかりをうまく工夫することによってヒューマンエラーは防止できる。

ただ、「ヒューマンエラーに気づく」というのは、エラーが起こってから気づくことがほとんどだ。ということは、すでにエラーが生じてしまったなら、その後で気づかされても遅いのではないかとも考えられる。もちろん、事前に防ぐことができればよいが、ヒューマンエラーというものは完全になくすことはできない。重要なのは、エラーが生じても大きな被害をもたらさないようにすることである。間違いに気づき、被害を最小限にしてうまく対処できればよい。

本書のタイトルは「間違い学」とした。間違い（エラー）を学術的にとらえると、こう考えるべきだというのが結論でもある。ヒューマンエラーは私たちの日常生活の場面でも仕事の場面でも生じる。誰だって間違いは回避したいし、万一起こっても被害はできるだけ小さくしたい。本書がその一助になれば幸いである。

間違い学　「ゼロリスク」と「レジリエンス」●目次

第1章　ヒューマンエラーがもたらす事故

ヒューマンエラーとは何かといったことから始めてもいいのだが、具体的な話から入ったほうがイメージがわきやすいので、ひとつの事例をもとに話を始めたい。

ひとたびエラーが生じると大きな事故を引き起こしてしまうことが少なくない。とくに大きな問題となりやすい医療の場面をここでは取り上げる。医療では薬品の間違いがかなり多い。異なった薬の投与、投与量の間違いなど、それらのほとんどが、いわゆるヒューマンエラーである（薬の間違いの事例は後の章でも紹介する）。

医療での間違いは人命を脅かすことにもなりかねない。治療によって病気などを治すことを目的としているのに、逆に体に悪影響をもたらしてしまうことは医療者にとっても患者やその家族にとってもつらいものである。そして、ヒューマンエラーとして決して少なくないのが、人（患者）の取り違えである。

手術で患者を取り違えた事故【事例1−1】

ここで取り上げる事例は、日本で医療安全への取り組みのきっかけになったと言われる医療事故である[1]。患者さんを間違え、異なった手術をしてしまったという衝撃的な事故であり、知っている方も多いであろう。この医療事故は、ヒューマンエラーについて考えるのに適した事例でもある。

1999年にY病院で起こった。心臓の手術を予定していたAさんと肺の手術を予定していたBさんがちょうど同じ時間に手術室に運ばれることになったのだが、2人の患者さんが取り違えられてしまった。本来心臓の手術をすべき心疾患のあるAさんが、Bさんが行くはずの手術室に連れていかれて肺の手術をされ、本来肺の手術をすべきだった肺疾患のBさんがAさんに用意された手術室に連れていかれて心臓の手術をされてしまったのである。

事故報告書（詳細がウェブ上に掲載されていたが、現在は簡単な内容の掲載となっている）[2]をもとに、当時の状況を振り返ってみたい。ただし、複雑なところもあったため、少し簡略化させてもらって説明することをご容赦願いたい。

●違う患者さんに声かけ

その日、午前9時から2人の患者さんの手術が予定されていた。Aさん、Bさんはそれぞれストレッチャーに載せられ、看護師のCさんがひとりで2人のストレッチャーを押して、手術室交換ホールに向かった。このホールで手術担当の看護師に患者さんを引き渡し、各手術室に向かうことになっている。

「Bさん、おはようございます」

声をかけたのは、このホールで受け渡しを担当する看護師Dさん。ただ、声をかけたのはBさんに対してではなく、Aさんだったのだ。ここで、第一の間違いの引き金が引かれた。

「Bさん、眠れましたか?」

さらにD看護師は声をかけた。

「Bさん」と声をかけられたAさんは「はい」と答えた。Bさん担当の手術室の看護師が2人いたが、このような状況を見て、目の前の患者さん(実はAさん)をBさんだと思ってしまった。

手術室の看護師は、患者のAさんともBさんとも面識がなかったので、この状況でそう思うのは当然であった。こうしてAさんは、間違われてBさんの手術が行われる手術室に連れていかれた。

Aさんと同時にストレッチャーでホールまで連れてこられていたBさんは、まだホールで待っていた。Aさん担当の手術室の看護師も2人いたが、2人とも、待っていたBさんがAさんだと思っている。手術室担当看護師は面識がないのだから当然だ。

「Aさん、寒くないですか？」

手術担当の看護師が声をかけた。

「暑くはないねぇ」と答えたのはBさん。「Aさん」と呼びかけられたのだが、それを否定することなく、会話が流れた。こうして、BさんがAさんの入るはずだった手術室に連れていかれた。

●何が問題だった？

このあと、手術室でどうなったか気になるところであるが、とりあえず、ここまでで整理しておきたい。

患者を取り違えるということは、ヒューマンエラーである。ここで何が問題であったかを考えなければならない。誰が悪かったとかいう責任問題ではない。なぜ事態が防げなかったのかである。ヒューマンエラーというのは必ず生じてしまう。それは人間だから仕方がない。防止のために、どこに問題があって、その問題を解決するにはどうすればいいのかという課題を抽出することが大事になる。

この事例の場合、引き受け担当の看護師Dさんが、最初に患者のAさんをBさんと間違えて声をかけてしまったことが問題の発端だった。声かけに相手が「はい」と答えたから、思い込んでしまったのである。ヒューマンエラーではよく出る「思い込み」だ。看護師Dさんがもっとしっかりして、注意深くしておけばよかったのにと思ってしまう。しかし、ここでDさんを責めてはいけない。もし同じ立場にあなたが立ったときに、同じ間違いをしてしまう可能性は否定できない。誰でも間違う可能性はあるのだ。

このとき本人は誤っていることに気づいていない。気づけないのである。

これまでの状況の中での問題点をもう少し考えておこう。

発端となったDさんの間違いの後、ほかの誰も間違いに気づけなかった。なぜ気づけなかったのか。本人かどうかを確認するやり方がまずかったのではないか。

先に記述したように、看護師Dさんは、患者さんには声かけをしている。「Bさん、おはようございます。Bさん、眠れましたか？」と声をかけられたのはAさんだが、自分とは違う名前を呼ばれたのにもかかわらず、「はい」と答えて、自分はBではないと否定していない。一方、「Aさん、寒くないですか？」と声をかけられたBさんも自分とは違う名前を呼ばれたのに、スルーしてしまっている。

せっかく声かけをしているのだから、それが患者さんの確認になっていればよかった。確認のしかたがまずかったのではないか。「〇〇さん」と声をかけられたほうは、自分が呼ばれるという構えがあるから、本当の名前とちょっと違うように聞こえたとしても、なかなか「違う」とは言わないし、言えない。

このような状況は確認が十分だったとは言えないだろう。最近は、病院で医師も看護師も「フルネームで名乗ってください」と患者さんにお願いをする。自分から自分の名前を言えば、間違うことはない。確認方法としてはかなり確実である。しかし、ここで紹介している事故事例は1999年の出来事である。当時は患者さんにフルネームで名乗ってもらうという確認方法はあまりとられていなかった。実は、この事例がきっかけとなって、その後、患者さんにフルネームで名乗ってもらうことが広まったのである。

●受け渡しは適切だったのか?

すでに気になっていると思うが、最初に看護師のCさんが同時に2人の患者さんをストレッチャーで押してきたということも問題ではなかったか。1人の看護師が1人の患者さんのストレッチャーを押していくという形をとっておけばよかった。確かにその通りである。同時刻の手術だったとか、人員配置が十分でなかったとか、いろいろな背景要因があったのかもしれないが、効率よく手術室に患者さんを運ぶために行ったことが問題であったと考えられる。

手術室には患者さんだけが入るのではなく、カルテも渡される。カルテがストレッチャーと一緒だったら、気づいたかもしれない。確かに手術室交換ホールまでは、カルテと患者さんが一緒だった。ストレッチャーの下の籠に入れられていた。ところが、この病院では、手術室には患者さんとカルテは別々に渡される。ストレッチャーの出入口とは別にカルテ受け渡し台というのがあったのだ。

患者さんが手術室に連れていかれたあと、ストレッチャーを押してきた看護師Cさんがカルテ受け渡し台で、AさんとBさんのそれぞれの手術担当の看護師にカルテを引き渡した。つまり、カルテは正しい手術室に運ばれて、患者さんだけが取り違えられたのである。

実は、このとき、手がかりになることが申し送られていた。心疾患のAさんの背中にはフランドルテープが貼ってあることが手術担当の看護師に伝えられていた。フランドルテープというのは、血管を広げて血流をよくする白い四角の貼り薬で、イメージとしては、湿布薬のような形状だと考えればよい。このテープが貼ってあるということは心疾患の患者さんだという手がかりになるのだ。

手術室ではどうだったのだろう。Bさんが肺の手術を受ける予定の手術室には、Aさんが手術台に寝かされていた。麻酔科医は、患者さんの背中に白いテープが貼ってあるのに気づき、それが何のテープかわからないまま剝がしてしまった。テープが貼ってあることは邪魔であったのだろう。このときに、このテープがフランドルテープであり、心疾患の患者さんが貼るテープだという認識があれば、目の前にいる患者さんはBさんではないと気づいたかもしれない。

けれども、エラーが起きたときに「もしも、あのとき……」と考えるのはあまりよくない。気づかなかったことがあっても、それはその場面では必然であったと考えなければならない。ただ、あえて、少しここで考えておきたい。実は、この麻酔科医は研修医であって、フランドルテープのことを知らなかったようである。知識があれば、気づいたかもしれない。

●手術室で気づかなかったのか？

手術室には医師や看護師が大勢いる。その中の誰か1人でも気づけば防げたはずである。手術室でも医師や看護師が声かけをしている。それぞれの手術室では、Aさんに対して「Bさん」と、Bさんに対して「Aさん」と声かけをしているが、2人の患者さんとも、違う名前が呼ばれても否定することはなかった。

ただし、Aさんが手術を受ける予定の手術室では、麻酔科医が、Aさんと違うのではないかと疑いを持っていた。麻酔科医は手術の前にAさんを訪れていて、顔が違うとの印象を持っていたようだ。さらに、手術室で心機能を測定すると、心臓の手術をする予定の患者であるにもかかわらず、改善が見られたのである。そこで、念のため病棟に確認をした。

「Ａさんの手術をしている手術室の者です。医師が顔が違うと言っているんですが、Ａさんは降りていますか」と手術室の看護師が病棟看護師に問い合わせた。「確かに、Ａさんは降りています」という返事だった。Ａさんが降りているということは、眼前にいるのはやっぱりＡさんなのかということになった。心機能の改善も、麻酔のために生じる可能性もあると考えられた。

後になってみれば、Ａさんが降りてきているというだけで確認できたと考えるのは十分ではなく、眼前にいる患者さんが誰なのかを別の方法で確認すべきであった。

結果的にそのまま手術をしてしまった。

肺の手術の予定であったＢさんに対して、心臓の手術をしてしまったのである。そして、心臓の手術予定のＡさんには肺の手術がなされてしまった。

手術後、集中治療室に２人が移されたのが午後４時頃であった。そこでＡさんと思われているＢさんの体重が測定され、その結果を見たＡさんの主治医が、見込んでいた体重と異なることを不審に思った。

集中治療室の医師は、患者が入れ替わっているのではないかと思い、隣りのベッドの患者さん（実はＡさん）に「Ｂさん」と呼びかけたところ、「はい」と返事が返ってきた。続けて「お名前は何ですか?」と聞いたところ、「Aです」との答えが返ってきた。ここではじめて患者が入れ替わっていたことに気づいたのである。

複数のエラーが生じて事故に至る

ここで紹介した事例は特殊な事例のように感じる。確かに患者を取り違えて異なった手術をしてしまうようなことは滅多に生じるものではない。しかし、ここで生じたエラーは個別には特殊なことではなく、どのような場面でも生じうる。ただし、その結果、本来とは別の手術をしてしまったということでセンセーショナルに報道等にも取り上げられた。ここで大事なことは、一つ一つはどこにでも起こりうるエラーが、複数重なって生じたことによって、大きな事故になってしまったということである。

私たちの判断や行動は完璧ではないし、利用している機器やシステムも完璧ではない。どこかに必ず穴がある。小さなミスはいつも起こっている。仕事を例にしても、ひとつの行動だけで終わりではなく、一連の行動の流れで完結する。その個々の行動場面ではミスをする可能性を常に秘めている。ただし、どこかの場面でミスに気づけば事故に至らない。手術室交換ホールで間違っても、手術室で気づけば間違った手術は防ぐことができた。

言い換えると、事故になった事例というのは、複数の場面でヒューマンエラーが重なってしまって、誰も気づかないままになった場合である。

どうすべきだったか

このような事故が起こらないように、どうすべきだったのか。繰り返すがヒューマンエラーを完全になくすことはできない。だからエラーが生じても事故に至らないようにすることを考えなければならない。

通常はどこかでエラーが生じても、それはリカバリーされることが多い。交換ホールで患者を間違えても、手術室で気づけば大事には至らなかった。気づく手がかり、気づく行動がいくつもあったのに、それらがすべてうまくいかなかったがために事故になってしまった。

この事例では、明確な患者確認を行っていない。看護師や医師が患者さんに声かけをする場面が何度もあったが、会話の中の一部で患者さんの名前を呼んでいるだけであって、確認を目的としたものではなかった。確認をしっかり行うことが必要である。

ただし、会話の中で「Aさん」と呼びかけられても、Bさんは名前が違うと否定しておらず、口頭の確認だけで「しっかり確認」を求めることは難しいのである。

●確認しやすい工夫を

「しっかり確認」を個人の努力に求めるのではなく、確認しやすいようなしくみを作ることが望まれる。そのひとつの方法がリストバンドである。入院する患者さんに氏名が書かれたリストバンドをしてもらえば、目視で確認はすぐできる。

さらに、現在行われているように、患者さん自らフルネームを名乗ってもらうことでより確実に確認ができる。この事故で患者の入れ替わりに気づいたのが術後の集中治療室であったが、自ら名乗ってもらってはじめて気づいたのである。

また、手術室の医療スタッフの多くは患者さんのことをほとんど知らなかった。患者さんのことを知っていれば、目の前にいる患者が当該の患者でないことに気づいたはずである。麻酔開始前に主治医と執刀医が患者確認を行うことが多いが、この病院ではそのことがルール化されていなかった。主治医は手術室に遅れて入室したのである。

一方、執刀医は手術時が初見であったそうである。事前に患者さんに手術の説明をする決まりになっていなかったようである。事前に手術の説明を行って顔を合わせていれば、患者が別人であることに気づいたはずである。

また、心疾患のAさんに貼られていたフランドルテープについて麻酔科医が知っていれば、患者の取り違えに気づいたかもしれない。知識や技術を身に付けることは仕事であれば当然のことである。しかし、たとえ仕事の場面であっても、最初は誰もが新人であるし、広範囲の知識やスキルを誰もが身に付けられるわけではない。

したがって、知識やスキルがなくても正しい判断や行動ができるようなしくみを作ることが大事である。フランドルテープについては、この事故の発生後、メーカーが改善をしてくれた。単なる白いテープであったものが、心臓のマークと製品名が表示されるようになり、知識がない人でも何のテープであるのかわかるようになった[3]。

リストバンドの装着ミス【事例1-2】

Y病院の事故は、前述のように患者の氏名が書かれたリストバンドで確認されていれば防げたと考えられている。その後リストバンドにはバーコードも付けられ、それを読み取ることで患者の情報にアクセスすることができ、さらに便利になった。ところが、そこにもヒューマンエラーの思わぬ落とし穴があった。

実際に海外で起こった事例である[4]。Pさんは風邪に近い症状で救急センターを訪れた。肺炎だと診断され、入院をすることになり、注射をしてもらい薬も処方された。ちょうど同じ時間に、別の患者Qさんも救急センターを訪れた。Qさんは細菌による感染症で、やはり入院することになった。入院受付では2人のリストバンドを印刷した。ところが、間違ってPさんのリストバンドをQさんにつけてしまった。

Pさんのほうは、職員がリストバンドをつけようとしたとき、間違っていることに気づき、正しいリストバンドを印刷してつけた。一方、QさんにはPさんのリストバンドが間違ってつけられてしまっているわけなので、Qさんが入院した病棟にリストバンドが間違っていることを連絡し、正しいリストバンドをその病棟に送ったのだが、なんと途中で紛失されてしまった。QさんはPさんを示す間違ったリストバンドをつけたままになってしまった。

●検査データの取り違え

Qさんは糖尿病の持病もあったため、医師が血糖値を測定し、そのデータをコンピュータシステムに入力した。リストバンドのバーコードで患者情報にアクセスされたため、血糖値のデータはPさんのデータとして記録されてしまった。

その夜、Pさんのデータを見て血糖値が非常に高いことに担当の医師が気づいた。Pさんは糖尿病の病歴があるわけではないし、それに医師は血糖値の検査の指示もしていなかった。ただ、血糖値が高いのだから、インスリンを与えるべきだと考え、量をどの程度にするかなどのプランを検討し始めた。しかし、その前に担当の看護師に尋ねることにした。医師の指示もないのに勝手に血糖値の検査をしたのが不思議だったからである。

尋ねられた看護師は驚いた。血糖値の測定などしていなかったからである。とりあえず、実際にPさんの血糖値を測定することになった。値は正常だった。患者の取り違えではないかと医師も看護師も疑った。ただ、誰と間違っているのかはわからなかった。血糖値が高い患者ということが手がかりだったため、血糖値が高い可能性のある患者を入院させたかどうか尋ねまわったところ、Qさんが浮かびあがった。実際にQさんの手首を確認すると、Pさんを示すリストバンドが装着されていた。

血糖値が高くもないPさんにインスリンが投与されていたら、血糖値が下がりすぎて、へたをすると昏睡状態になり死に至る可能性もあった。

ITやDXは新たなヒューマンエラーを生み出す

バーコード付きのリストバンドは患者取り違え防止の切り札であったはずである。ただし、リストバンドを装着するのは人間である。そこにはヒューマンエラーが起こってしまう可能性が十分にあった。

ヒューマンエラー防止にはどのような工夫が必要なのかを考えるとき、ITの技術などをうまく活用していくことも求められる。ITやDXは私たちの生活を豊かにしてくれた。しかし、後で述べるが、一方でそれ以前には想像していなかった新たなヒューマンエラーを生み出すことにもなっている。

第2章　ヒューマンエラーとは

前章で、医療事故の事例をみることで、複数のエラーが重なって事故につながっていくことを理解いただけたと思う。さらに、患者確認に有効だと考えられたリストバンドの装着間違いが患者の取り違えを起こした事例も紹介した。どのようなものがヒューマンエラーと考えられるのかをおよそイメージできたのではないかと思う。本章では、もう少し明確に、ヒューマンエラーがどう定義されるのか考えておきたい。

定義より、手っ取り早くどうすれば防止できるかを知りたいと思われるかもしれないが、ヒューマンエラーをどう考えるかが防止につながるので、少しがまんして読んでいただきたい。

まず、「ヒューマン」という言葉が付くので何らかの形で人間が関わっていることを意味している。その関わり方については考えなければならないが、ひとまず単純に「人間が行ったエラー」と考えてよいだろう。

それでは「エラー」はどう考えればよいだろうか。「誤り」、「ミス」、「間違い」、「失敗」、「過誤」など、類似した言葉がいろいろ存在しているが、日常的に使う用語なので明確に定義するのは難しい。

キャッシュレス決済での失敗【事例2】

日常的な生活場面の中で考えていきたい。新型コロナ感染拡大の状況での現金の授受による感染リスクや、マイナンバーカードのマイナポイント付与などが電子マネーの普及を後押しした。スマホで決済を行ったり、交通系ICカードを利用したり、キャッシュレスの決済の機会が増えた。しかし、新しい支払い方法や、決済のための機器類を使うことに戸惑って、失敗してしまったことはないだろうか。

たとえばセルフレジ。各店舗によって機器が異なるので、はじめて使うときは戸惑ってしまうものだ。私の経験だが買ったのは150円ほどのドリンク一本だけ。まず、パネルでレジ袋が必要かどうか尋ねられたので、いらないと選択。次は商品のバーコードをスキャンする。どこで読んでくれるのかスキャナを探し、うまく読み取れた。続けて

「支払い」のボタンを押す。支払い方法は交通系カードを選択。あとは、カードをタッチするだけ。あれ？　タッチしたけど、読み取ってくれない。

　戸惑っていたら、係の人が来てくれた。

「交通系カードですか？」

「はい」

「これ、わかりにくいですものね。ここに置くんですよね」

　ガラスになっている部分があり、そこにカードを置いていたが、そこではなく、その上部の黒い縁のあたりに置かないといけないらしい。よくみると「ここにカードを置いてください」と書いてある。その「ここ」が、どうも、その書いてあるところらしい。「ここ」というのがガラス面だと思ってしまった。多くの人が間違うのだろう。

　すぐに係の人に対応してもらえたが、そうでなかったら、どうしていいかわからず、困ってしまっていたことだろう。

●バーコード決済での失敗

PayPay などの決済は、スマホでバーコードを表示させ、それを読み取って決済をするのだが、カメラやスキャナで読み取ってもらうときにうまくいかないことがある。

これもあるスーパーのセルフレジでのこと。ハンディスキャナが置いてあった。スマホのバーコードを読み取らせようとするが、うまくいかない。スキャナを近づけてみたけれど、やっぱりダメ。係の人が来てくれた。逆に離してやらないと読み込めないらしい。やってみると、離すと確かに読み取れた。コンビニなどで店員さんがやっているのをみると、スキャナを間近に近づけているから、近くないといけないと思っていたら、そうではないらしい。

カメラが固定してあって、そのカメラに読ませるのも厄介である。うまくカメラに位置を合わせないといけない。カメラが下にあって上を向いていて、スマホの画面を裏にしないといけない場合もあるし、カメラが上から下に向いているものもある。

もっともわかりにくいのがタクシー。タクシーは、助手席の背もたれの後ろにタブレットのパネル画面があり、そこで操作を行うことが多い。バーコード決済を選んで、スマホの画面をパネルに向けるのだが、カメラにうまく写っているのかどうか確認が難しい。パネルがモニタになってカメラで捉えている画面が写るのだが、スマホもその画面に向けるので、スマホが邪魔になって画面が見にくく、うまくいかない。

何度やってもダメなことがあり、運転手さんがやってもうまくいかず、結局別の方法で支払ったこともある。

●「間違った」という感覚

キャッシュレスの決済を行って、うまくいかなかったとき、「間違った」と思ってしまう。ここで、「間違った」というのは、自分が間違いをしてしまった、つまり間違ったのは人間だということである。

自分で交通系カードをガラス面に置いた。読み取ってくれると思ったが、そのガラス面に置いたという行為が間違っていた。バーコード決済時のハンディスキャナの使い方も、タクシーでのバーコードの読み取らせ方も、やり方を「間違った」という思いが自分の中にある。

ここでの「間違い」とは、本来の正しいやり方があるはずなのに、違うやり方をしてしまったということである。そして、その結果うまくいかなかった。そうなったのがこの状況でのヒューマンエラーである。

ただ、「間違った」ということにすぐに気づけばよいのだが、後になって気づくことがよくある。キャッシュレス決済の場合に後で気づくことはないように思われるが、実際にそういった経験があった。買い物を終えて、決済の取引履歴を見てみるとその買い物の履歴がなかった。店に確認に戻ると、やはり決済がなされていなかった。そのままにしておいてもよかったかもしれないが、店が困るだろうと正直に確認に行ったら、店の人から感謝された。

いずれにしても後になって気づくのは問題を大きくしてしまう。先の患者取り違えの事故がそうである。異なる手術室に送ってしまったり、リストバンドを付け間違えたりしたことを後になって気づくのでは遅い。間違ったらすぐに、それも大事に至る前に気づかせるようにしなければならない。

私たちは、日常生活でも仕事の場面でも「間違った」と思うことがある。このときの人の気持ちは、うまくいくつもりでいたのにできなかったというものである。これがヒューマンエラーである。学問的にスマートな定義は後ほど記すとして、まず肌感覚で考えてもらうのが大事だ。

本来できたはずなのに

ヒューマンエラーは、文字通り「人間の失敗」である。人為的ミスという言い方を報道などではされることがある。ただし、人間の失敗すべてがヒューマンエラーであるわけではない。人間に能力以上のことを求められ、それが失敗につながったとしても、それをヒューマンエラーとは言わない。

次のようなことを考えてみよう。

私たちは試験を受けたときに、問題が解けず、「間違ってしまった」とか「ミスした」と思うことがある。試験なので、問題の正解通りに解答できなかったということである。このような気持ちになるのは、正解が出せると思っていた問題なのに、それができなかった場合である。不正解であるものすべてに対して、「間違った」とか「ミスした」と感じるわけではない。

問題を解けなかったのを自分なりにいろいろ考える。「解けそうなのにうまく考えられなかった」、「もっと勉強しておけばわかるはずだったのに」など。受験している本人が「本来であればできたはずなのに」と思って後悔している場合に「ミスした」と感じる。

一方、不正解であっても、端から解けないと思っている問題もある。試験なので、すべての問題に正答できるとは限らない。もともと解けないと思っていた問題に対しては「間違った」とか「ミスをした」という思いにはならない。「ミスをした」と感じるのは、正しくできると思っていたのに、それができなかった場合である。

交通系カードで決済を行うのに違う場所でタッチしてしまったときの気持ちも、「(自分では) うまくいくつもりでいたのに、間違ってしまった」ということである。ヒューマンエラーかどうかは、本来できたはずなのに期待していた通りにならないという状況が条件になる。

エラーとそうでない場合の違い

別の例で考えてみよう。野球の場合、野手がボールを捕球できずに打者が出塁したとき、記録としてヒットと判断される場合とエラーと判断される場合がある。ヒットの場合は、誰が見ても野手が捕ることができない打球であって、野手のミスではないというケースである。エラーとなるのは、通常であれば野手は捕球できてアウトにすることができたはずなのに、野手のミスで打者の出塁を許してしまったケースである。

テニスでは、フォーストエラーとアンフォーストエラーという言い方をする。テニスで得点になるのは相手のプレイヤーがボールを打ち返せなかった場合であり、いわばプレイヤーのエラーでもある。ただ、そのエラーも到底打ち返すことができないような場合、得点を取られたプレイヤーのミスではなく、必然的にエラー（打ち返せない）になるケースなので、フォーストエラーという。一方、本来であれば打ち返せたはずなのにできなかった場合は、必然的なエラーではないため、アンフォーストエラーという。アンフォーストエラーが、野球でいうところのエラーであり、ここで問題にしているヒューマンエラーになる。

これらは、場合によっては本人が「ミスした」と感じていない場合もあるかもしれないが、いずれにしても、エラーというのは、本来できたはずなのにできなかったということを意味している。

思い通りの結果にならなかった（不正解、捕球できない、打ち返せない……）ことはあったとしても、試験問題の難易度が高かった場合とか、ヒット性の当たりだったとか、フォーストエラーであった場合は、「本来できたはずなのに」とは思わない。このような場合はヒューマンエラーではない。

ヒューマンエラーの定義

改めて、ヒューマンエラーの定義を考えておきたい。ヒューマンエラーは、本来できたはずなのにできなかった場合である。そこで、以下のように定義する[5]。

「人が期待された範囲の判断や行為を逸脱し、その結果も期待された範囲を逸脱した場合、その判断や行為をヒューマンエラーという」

自分では正しいと思って行ったことが、期待からずれていた。そして、期待した結果をもたらさなかった。本来、正しい位置に交通系カードを置くべきという期待があったのに、それを逸脱して違うところに置いてしまい、結果として、期待（読み取る）を逸脱して決済ができなかった。

本来、患者さんを正しい手術室に移送しなければならなかったのに、間違ってしまい、結果として異なる手術をしてしまった。患者さんを正しく認識することはできるはずであり、それができなかったのは期待を逸脱しており、その結果異なる手術をしてしまったのはいうまでもなく期待を逸脱した結果である。

ここで「期待された範囲の判断や行為を逸脱」が「本来できたはずなのに」を表している。そして、それがまずい結果を招いた＝「その結果も期待された範囲を逸脱した」

場合に、ヒューマンエラーとなる。

ここで考えなければならないのは、「本来できたはずなのに」をどうとらえるかである。問題を解くことができるかどうかは、人の能力に依存する。能力が低い人にとっては端から解けない問題であったとしても、能力が高い人にとっては本来解ける問題である可能性も高い。

したがって、同じ問題で不正解であっても、能力が低い人にとってはエラーではないが、能力が高い人にとってはエラーである可能性もある。これは野球の場合でも同じで、プロにとってはエラーかもしれないがアマチュアにとってはエラーではないケースも考えられる。

●判断や行為が逸脱しても結果オーライ

この定義では、判断や行為が逸脱していても、結果が期待された範囲を逸脱していなければヒューマンエラーではない。いわば結果オーライである。行為や判断が期待を逸脱したのに、結果が期待を逸脱しなかったということはあるのだろうか。

バーコード決済で、ハンディスキャナを使う場合、離さないと読み取れないので、行為が期待を逸脱した（近づけた）のに結果が期待を逸脱しない（読み取れる）ことはない。確実に「間違った」となる。

一方、試験の前日に勉強をしなかったことは期待された範囲を逸脱しているのだが、試験で間違わなかったならば、それはエラーにならない。また、車の運転において、スピードの出しすぎで事故が生じることがある。スピードの出しすぎは期待を逸脱した行為であり、スピードの出しすぎによる事故はヒューマンエラーである。しかし、スピードを出しすぎたからといって必ず事故になるわけではない。スピードの出しすぎは期待を逸脱した行為であるが、結果としていつも期待を逸脱したこと、つまり事故になるわけではない。その場合エラーが顕在化しないため、ヒューマンエラーとして言及することはない。

●判断や行為が逸脱していないとヒューマンエラーではない

判断や行為が期待を逸脱していないのに、結果が期待を逸脱することもある。

きちんと勉強したのに、いい点がとれない——この場合、ヒューマンエラーと言わない。ところが、このとき責められることがある。「あなたがちゃんと勉強しなかったからでしょう」と。つまり、見方次第では行為が期待を逸脱していたと判断されるのだ。

●期待の範囲は誰が決めるのか

事故が生じたときに、それがヒューマンエラーによるものかそうでないのか問題になることがある。例えば医療の場合、患者が死亡するなど思わぬ結果になってしまったときに責任問題に至るようなケースだ。

かつて、帝王切開で赤ちゃんを出産した妊婦さんが出血多量で亡くなった事例があった。詳細は省略するが、医師の判断が問題視され逮捕されてしまった。医療者による通常の医療行為なのに逮捕されてしまったという事実に、医療界では衝撃が走った。

出産で妊婦さんが亡くなるというのは、期待された結果ではないため、遺族の気持ちとしては、医療のミスではないかと感じてしまうことはやむを得ない。

ただし、医療の専門家の判断では、この事例の場合は医師のミスではない。つまり、期待された範囲を逸脱した判断・行為ではないと考えられた。この事例の場合、最終的には裁判によって医師は無罪となった。

ここでのヒューマンエラーの定義で考えると、この事例の裁判の判決では、結果は期待された範囲を逸脱したかもしれないが、判断・行為は期待された範囲を逸脱していないと考えられるため、ヒューマンエラーではないということになる。

責任問題ではないが、野球でエラーと判断したり、テニスでアンフォーストエラーと判断するのはプレイヤー自身ではないため、本人が納得いかないこともあるだろう。

期待された範囲を誰が判断するかによってヒューマンエラーなのかどうかが変わってしまう。責任の所在を明らかにしたい場合は大きな問題であるが、ヒューマンエラー防止を考える上では、あいまいなままでも問題はないので、ここでは深入りしない。

モノや機器と関わるからエラーが生じる

ヒューマンエラーは、私たちが生活や仕事の場面で、何かモノを扱うとき、あるいは機器を操作するときに生じる。

事故が発生すると、その原因がどこにあるのかが問題になる。たとえば、鉄道の事故が生じたとする。原因は車両の不具合の場合もあるし、運転士のミスによって生じることもある。車両の不具合は機械の問題であり、機械のエラーだと考えられる。一方、運転士のミスは人間側の問題なので、人間のエラー、つまりヒューマンエラーであると言える。

前のセルフレジのケースでは、自分ではちゃんと正しい位置に交通系カードを置いているのに、読み取りができなかった。このとき、「あれ、このリーダーがおかしいのかな？　あるいは、カードのほうに不具合があるのかな？」と思うこともあるだろう。間違っているのは人間ではなく、機械やモノだということであれば、それはヒューマンエラーではない。

人間が直接関わらないエラーの可能性がある場面で、人間のエラーではないものと区別するためにあえてヒューマンエラーという用語を用いる。言い換えると、人間のエラーなのか人間以外のエラーなのかを区別する必要がない場合は、あえてヒューマンエラーという言い方をする必要はない。さきほどのテニスや試験の場合、打ち損なったり、解答を間違えたりするのは人間しかなく、人間以外の間違いは想定できないから、実際にはヒューマンエラーという言い方はふつうはしない。ヒューマンエラーは人がモノや機器と関わる場面で生じるものであり、大事なのはそのエラーが生じる要因が人間側だけにあるのではないことである。

●ＩＴ化やＤＸでもエラーが生じる

今は、いろいろな場面でバーコードやＱＲコードを使うことが多い。これは人間が入力するのに代わって、機械が読み取りをしてくれるので、人間の入力エラーを防止するのに役立っている。

しかし、まったく人間が関わらないわけではない。先に紹介した事例のように、バーコードの印字されたリストバンドを人間がつけ間違えてしまうと、それを機械が修正してくれるわけではない。間違ったままになってしまう。

また、バーコードやカードを読み取らせるときには人間が関わり、それがうまくできなければ決済ができなくなってしまう。

どんなに技術が進んでも、人間がリストバンドというモノを扱ったり、カメラやスキャナといった機器を扱ったりすることはなくならない。その場面では人間が関わるため、そこにヒューマンエラーが発生するのだ。

●ＩＴ化やＤＸだから生じるエラー

多くの人に情報を伝達することは、今は電子メールを使えば簡単にできてしまう。郵便で送るのに比べてはるかに手間がかからずにすむ。

しかし、その裏返しにヒューマンエラーが大きな損害を生んでしまう。電子メールの宛先をBCC（ブラインド・カーボン・コピー）で送ることによって、複数の送り先へ個々のメールアドレスがわからないように送信できる。ところが間違って、BCCを使わないで送ってしまった結果、各個人のメールアドレスという個人情報が多くの人に伝わってしまう。大量の情報の漏洩が、単純なヒューマンエラーによって生じてしまう。

また、機器を使う場合、必要な情報は人間が入力しなければならない場面は必ず出てくる。バーコード決済も、金額は店員が入力したり客が入力したりする場面はある。そこでの金額も間違いが生じる可能性がある。

まだ、日常の買い物などでのバーコード決済の金額は少額であり、途中で気づけば間違いを修正できるが、PCを使った商品の誤発注のミスなどは大きな損害をもたらすことがある。私が勤めている大学でも、ポッキー&プリッツの日（11月11日）に大学生協が数を間違って大量注文をしたことがあった。このときは学生がSNSを利用して、誤発注があったことを拡散してくれて、学生がみんなで協力して買ってくれたおかげで事なきを得た。

しかし、かつて株の誤発注によって証券会社が窮地に立たされたこともあったし、近年では新型コロナ関連の給付金を1人の住民に4630万円誤送金してしまったこともあった。

大きな金額を扱ったり、大量のデータを扱ったりすることが簡単な操作でできてしまう。そこで生じたヒューマンエラーが甚大な被害をもたらすのだ。これらはIT化やDXによって生じた問題でもある。

AIも万能ではない

人間が機器と関わるところに必ずヒューマンエラーが発生する。それを防ぐには人間が関わらないようにすることである。たとえば、商品の発注などもデータサイエンスの技術によって在庫数からAI（人工知能）が判断して自動発注をさせれば人間が関わることはない。

ただし、何らかのパラメータの入力が必要なことはあるから、そこでヒューマンエラーが発生してしまう可能性はある。飛行機の自動操縦をする際に、降下角度の入力を間違え、飛行機が墜落してしまったケースもある（詳細は後述）。さまざまな技術が発展し、私たちの生活は便利になる。しかし、最初から完璧なシステムは存在しないし、AIによってすべてができるようになるわけではない。人間が何らかの形で関わらなければならない。その人間が関わるときに、モノや機器の設計が人間とのインタフェースでうまくできていないことがある。そこにヒューマンエラーが発生する。

つまり、ヒューマンエラーの原因の多くは、むしろ、モノや機器の問題のほうの要因が大きい。そのため、その防止・解決で重要なのは、実は人間が関わるモノや機器の改善のほうなのである。

第3章　エラーをした人は悪いのか？

エラーを防止する際に安易に考えやすいのは、人間が引き起こした失敗なのだから、人間を何とかすればよいのではということである。ヒューマンエラーは本来であればできたはずなのにできなかったのだから、人間が悪いんだというわけである。

その結果、ヒューマンエラーを起こした人にペナルティを与えるようにすればいいのではないかと考えてしまう。ペナルティがあることがわかっていれば、それが抑止力になって気をつけるから、エラーがなくなるのではないか。

残念ながら、そんなに単純なものではない。人間を悪者にした対策では何も解決しないのである。

遮断機を上げざるをえなかった開かずの踏切の事故【事例3】

２００５年に起こった踏切事故の例である[6]。踏切の保安係が列車が接近しているのに遮断機を上げてしまい、通行した人が亡くなった事故があった。現在のほとんどの踏切の遮断機は列車の接近に伴い自動で上げ下げされるが、当時は保安係という人が遮断機を操作している所があった。といっても、目視で列車の接近を確認していたわけではなく、列車の接近情報は機器上に表示されるため、それに応じて操作することになる。

これだけだと保安係が遮断機を上げてしまったことが問題のように思えるが、その背景要因を考えると、彼だけを責めるわけにはいかない事情があった。

この踏切は開かずの踏切だった。列車が通過して遮断機が上がると思ったら、すぐに反対方向から列車が来てしまい、遮断機が下がったままで次の列車の通過を待たないといけなくなり、その繰り返しが続く。この踏切は上下合わせて５本の線路があった上に、すぐ近くに駅があったため、いつまでたっても遮断機が上がってくれない。ただ、列車が通過後反対側からの列車が来るまでの間には、待っている人間の感覚では意外に時間があり、この間に遮断機が上がらないのかと通行待ちの人は思ってしまう。

安全上それはできないのだろう。事故が起こったこの踏切には早上げ防止鎖錠装置というのがついていて、通過後早く遮断機を上げてしまわないようにロックがかかるしくみになっていた。

●ロックを解除して遮断機を上げていた

しかし、そのしくみをそのまま運用してしまうと、いつまでたっても通行できない。そこで、保安係がロックを解除して遮断機を上げるようにしていた。もちろんこれは業務上はルール違反である。

保安係は、列車接近が列車接近表示灯により確認できるので、通行者の利便を考えてタイミングを見計らって、遮断機を上げていたようだ。それは通行者と保安係の暗黙の了解であったのだろう。

朝夕のラッシュ時には列車の本数も多くなる。開かずの踏切になってしまうと長時間待たされる。事故は夕方の午後5時近くの時間帯であった。保安係は、下りの準急が通り過ぎたら、次の下りまで1分半時間があるから、その間に遮断機を上げれば通行できると考えた。ところが、このとき、上りの準急が来ることを確認していなかった。列車接近表示灯の確認をせず、ロックを解除し、遮断機を上げてしまった。

そこに上りの準急が入ってきた。電車は急ブレーキをかけたが間に合わなかった。2人が負傷し、2人が亡くなった。

不完全なシステムを人が調整している

問題なのは開かずの踏切になってしまったことである。保安係は決められた通りに作業を行えばいいはずだが、その通りにやっていたら、いつまでたっても通行者は渡れない。そうすると、遮断機を上げてくれと詰め寄ってくる通行者もいるだろう。

事故報告書でもそのような事情は説明されていた。「通行者からのプレッシャーを感じることもあった」と記されていた。業務として決められた通りにやらないといけないが、一方で通行者も通してあげなければならない。その板挟みになっていたのだ。そこをうまく調整するにはルール違反をするしかなかったのである。

開かずの踏切を作ってしまったということ自体が明らかにシステムの欠陥である。列車の運行のことだけしか考えておらず、近隣の通行者のことを考えていない。一方で、列車に乗る人のことを考えると、列車の本数を減らすわけにはいかない。列車の運行と通行者の立場を調整するのは現場の人間になってしまう。システムの欠陥の調整役が現場に求められた。

安全だけを考えれば自動で遮断機が動くようにしていればいいはずである。しかし、そうすると、ますます開かずの踏切になってしまい、誰も通れなくなってしまう。そこに人が介入すると、列車の通過の隙間をうまく見つけて通行できるようにすることが可能になる。

システムの問題がヒューマンエラーを生む

こうして、現場の保安係は調整を暗黙に任されていたのである。しかし、もともと欠陥のあるシステムなので、その調整がいつもうまくいくとは限らない。うまくいかなかったとき、ヒューマンエラーという形で出てくるのである。

そのとき、その人間を責めることができるだろうか。自分が同じ立場で同じ役割を担わされたときに、絶対にミスをしないと言えるだろうか。この役割を任せられたら、この保安係と同じようなことを誰しもがしたかもしれないのだ。

先の患者取り違えの事故の場合、2人同時にストレッチャーで運ぶのが問題であって、それがなければ事故は起きなかったと考えられた。しかし、それは業務体制の問題である。同じ時間に手術が集中していて、病棟の看護師は限られた時間の中で、患者さんを手術室に運ばなければならなかった。当人だけが責められる問題ではない。

●人を罰しても不完全なシステムは改善されない

この踏切事故の保安係は実刑判決を受けてしまった。会社も懲戒解雇となってしまった。遺族の心情としては何も責任が問われないことになるのは容認できないだろうが、実はこれでは何の解決にもなっていない。開かずの踏切という欠陥のあるシステムは何も改善されないからである。

この踏切の場合、直後の対策として、近くにエレベータ付きの歩道橋の設置などがなされた。さらに、時間がかかったが高架化され、踏切はなくなった。それが根本的な解決の道だった。

ヒューマンエラーは、往々にして不完全なシステムを使うことを余儀なくされた人間が起こしてしまうものである。普段はなんとかだましながら調整して行っていたのだが、ちょっとしたひずみが生じたときに、うまくいかなくてエラーを起こしてしまうのである。

現場の人間は、勤務体制や扱っているシステムからの要求、そのサービスを受ける人などからの要求も含め、さまざまな要求を迫られている。通行者からは早く遮断機を上げてくれと言われる。一方でロックを解除することはやってはいけないという圧力がある。人間の裁量でうまく調整するしかない。しかし、バランスが崩れるとどこかにヒビが入る。それがヒューマンエラーとなって表出した。

●モノやシステムの改善が必要

そのとき、すべきなのは人にペナルティを与えることではなく、体制やシステムそのものを改善することなのである。

エラーを起こした人をどう改善に導くかが重要だと思われがちだが、人に改善を求めることが余計な負荷をかけることになっているのが現実である。エラーを起こしたくて起こしているわけではなく、そのとき置かれた場面では必然的になした行為や判断がヒューマンエラーとなっている。ある意味、その場面だけを考えると、合理的な行為や判断であったことになる。それを局所的合理性ということもある[7]。開かずの踏切で通行者を通してあげるために、遮断機を上げるというのは、あの場面では合理的であった。

つまり、ヒューマンエラーを起こしてしまうことが合理的になってしまう場面を改善しなければならない。その場面を作り出しているのは人を取り巻くモノやシステムなのだ。もちろん、人間側に対する対策も必要となるが、それよりも人間が使うモノやシステム、組織の体制などの対策が先行されるべき重要課題となる。

人を責めない対策

それでも、エラーを起こした人に対して、ペナルティを与えようとしてしまう。それはやってはならない。

一般には、罰は故意に行った行動の抑制にはなるが、ヒューマンエラーのように意図的に行っているわけではない場合はまったく効果がない。

罰則を前提にすると何が生じるかというと、エラーの低減ではなく、隠ぺいにつながっていく。隠ぺいされてしまうと、潜在的に存在している問題が解決されないままで、小さなエラーで済んだものが大きなものとなって顕在化してしまう。

先の踏切事故のようなケースは隠しようがないが、医療現場、製造現場などの場合、当事者にしかわからないことも多く、場合によっては隠ぺいされかねず、問題の解決につながらなくなってしまう。

●罰則よりも教訓に活かす

ヒューマンエラーが生じた場合、それを引き起こした要因が何であるのかを突きとめ、解決することが重要である。人を罰するのではなく、そのエラーを教訓として、今後同様のことが生じないようにすべきである。

アメリカでは航空機事故の場合に、当事者に対しては免責が与えられる。航空機事故では、コックピットの中で生じたことはそのクルーにしかわからないことが多い。事故の要因を調べるにはクルーに正しく証言をしてもらわなければならない。自分のミスが誘因となって事故が生じた場合もあるからだ。

その際、そのミスに対して罰が与えられるとすると、自分のミスを隠ぺいしてしまい、ミスを隠すために事実でないことを証言してしまう可能性がある。その結果、本質的な問題が解明されないことがある。すると、潜在的に抱えている問題が解決されない。そして、何も改善されないまま再び航空機の運航が続行されてしまうと、将来的により大きな事故につながる可能性は十分にある。

１人のパイロットを免責にすることで正しい証言をしてもらう。そう判断をするのが賢い選択である。それによって、将来、大勢の人が遭遇し、より多くの命を失ってしまう可能性のある事故を防ぐことができる。公共の利益を優先するのである。１人のパイロットを免責するのか、将来起こりうるであろう多くの尊い命の犠牲をとるのかという選択なのである。

繰り返すが、ヒューマンエラーは意図的に行った行為ではない。本人がおかれた業務の体制、環境要因、システム、モノ、その人をとりまくさまざまな要因がそろったときに生じている。その人自身を罰することは何の解決にもならない。

もちろん、エラーによって生じてしまった損害は補償しなければならない。ただし、その補償は原則的に組織が負うべきであり、個人に責任を転嫁してはいけない。

意味のない「気をつける」対策

しかし、私たちは人間に何らかの対策をしないといけないと考えてしまう。すぐに考えられそうな対策は「注意喚起」であるが、これも実は意味がない。

私たちは「気をつけなさい」ということをよく言う。

気をつけること自体は悪いことではないし、気をつけるにこしたことはない。ただし、気をつけることでエラーを防ぐことができれば誰も苦労しない。なぜ、「気をつける」ということに意味がないのかを考えておきたい。

間違い探しというゲームを思い起こしてほしい。ほとんど類似した絵（イラスト）が2つ提示され、双方の絵の違いを探し出すゲームである。ゲームなのですぐにわかってしまうと面白くないため、明らかに間違いがわかるようなものは少ない。間違いの箇所が何カ所あるのかはあらかじめ知らされている場合が多いが、それでもすべての箇所に気づかないことがある。

何度見ても気づかなかった間違いの箇所が、非常に細かい違いで気づくのに難しいのかというとそうではない。答えを見ると、「何だ、ここだったのか」と思うのがほとんどで、「なぜ気づかなかったのだろう」と思ってしまう。このようなゲームをするときは、仕事の場面のように時間に追われて忙しいときではないはずである。このゲームに集中できる場面である。しかも、間違いの箇所が何カ所あるかわかっている。それでも気づかないのである。

つまり、どんなに注意を集中しても気づかないものは気づかない。それも、答えを教えられたとき、「そんなもの気づくはずないじゃないか」というわけではない。「なんで気づかなかったのだろう」と思うような、しかし、言われて初めてわかる見落としなのだ。「気をつけなさい」と言われても、完璧に気がつくものではない。

注意すると改善されるという誤謬

ただ、私たちの感覚としては、注意することは無駄ではないと思っている。注意をするとしばらくは効果がある。しかし、時間が経つと気が緩んでしまう。だから、注意し続けることが大事だと思ってしまう。

ところが、ここに誤解がある。注意すると効果があるという誤解だ。確かに、現象としては、ヒューマンエラーが生じたので注意をすると、しばらくエラーは生じなくなる。そして、また時間が経つと何かしら生じてしまう。それは事実である。そのため、注意の効果がしばらくは続いたと思ってしまう。

それが誤謬なのだ。こう考えるべきである。ヒューマンエラーというのは始終生じているわけではない。ある期間をおいてランダムに発生している。あるときエラーが生じるとしばらくは生じない。それを繰り返している。私たちが注意をするのはエラーが生じてからであるが、「もともと」直後はしばらくエラーは生じない。だからそれは注意をしたからではなく、「もともと」の現象なのである。注意がエラーを減少させたという因果的な関係を信じてしまっているだけなのだ。

●平均への回帰

こういった因果関係の誤謬は日常のいろいろな場面で生じている。ジンクスと言われるものの多くは因果関係の誤謬である。たとえば、スポーツ選手などの場合によく言われる2年目のジンクスがその典型だ。1年目に活躍し新人王などの賞をとった選手は2年目になると成績が落ちるというものである。あたかも賞をとることが成績を悪くする要因になっているとでも言っているようだ。

賞をとると成績が落ちるわけではない。もともと選手の成績はある程度波がある。よい成績が続くと、その後には悪い成績の時期が訪れる。「平均への回帰」と言われるが[8]、その選手の平均的な成績に戻ろうとする。成績が上がると平均を超えているから、次は平均に戻るため成績が下降する。一方、成績が下がって平均より落ちてしまうと、今度は平均に戻るため成績は上昇する。

とくに新人王などの優れた活躍をした選手は、その選手にとっては実力を100%かそれ以上発揮できたはずである。そして平均以上の成績を残した。もちろん、さらにその実力を伸ばしていくことができる選手もいるが、多くの選手は次の年には成績が下がってしまう。もともと成績には波があり、もっとも波の高いところで賞をとるので、その後は、波は落ちるしかなく、平均に戻っていく。それをあたかも賞をとったことで成績が下がってしまったかのように誤解してしまう。

エラーもある時間単位でみると、多いとき少ないときがある。平均的にどの程度生じるかもおそらく確率的に決まっているだろう。そのためエラーが多くなったあとは、平均に戻ろうとするので少なくなる。しかし、エラーがなくなる期間がある程度続けば、再び平均に戻ろうとするので、今度は増えてしまう。

「注意をする」のはエラーが多くなった直後である。それとは関係なく、やがてエラーは平均に戻ろうとして少なくなる。残念ながら注意をしたからではないのだ。

もちろん、注意することが絶対にダメなわけではない。気をつけるにしても、何をどう気をつけるのかが大事である。ただ「気をつけなさい」ではなく、エラーが生じたときに、どのような場合にエラーが生じるのかを話し、リスク認知を高めることは意味がある。その上で、具体的な対策を提示することが大事だ。具体的な行動指示が伴わないといけない。

また、リスクに対する正しい認識をもたせるために注意をすることは必要である。ただの注意喚起ではなく、過去にどのようなヒヤリハット（事故には至らずも「ひやり」としたり「はっ！」としたりするケース）や事故が生じているのかを認識させ、そのリスクが身近にあることを認識してもらう必要がある。

後知恵バイアスによる指摘——後だしじゃんけん——

ヒューマンエラーにより事故が起こると、あのとき、こうすればよかったのにと後になって思うし、人に言われることもある。こういったことを後知恵バイアスという。結果がわかっていれば、悪い結果を引き起こした原因となった行為や判断がわかるし、それのどこがまずかったとわかる。しかし、それは結果が出てからなのだ。

結果がわかっていない段階ではどの行為や判断が正しいのかはわからないことのほうが多い。それを結果が出てしまってから責めるのでは酷であるし、何の解決にもならない。後知恵バイアスは、あみだくじの当たりがわかっている人が、当たりのほうから逆に辿って、はずれのくじを引いた人を責めるようなものである。あみだくじは、どれを選択すればいいのか、くじを引く段階ではわからない。わからないからくじになるのだ。私たちが行為や判断を求められた段階ではどの行為や判断が正解につながるのかわからないことが多い。実際にやってみてはじめて結果がわかることが少なくない。

それを後になって責めるのは後だしじゃんけんであり、エラー防止には何の役にも立たない。エラーをした人は、まずかったと思って後悔しているのに、「なんで、あのとき○○できなかったのか」というのは、その傷に塩を塗るようなものである。

第4章　外的手がかりでヒューマンエラーに気づかせる

ヒューマンエラーにおいては、当人は行為や行動の最中に間違っていることに気づいていない。そのため、どんなに注意しなさいと言われても自分では気づかない。そこで、どうするかというと、外から気づかせるようにしなければならない。それを「外的手がかり」という[5]。

外的手がかりについては、ここでは5つに分類している。文書、表示、対象、電子アシスタント、人である。この5つの詳細を、具体例を用いながら説明していきたい。

欠席者を合格にしてしまった入試ミス【事例4】

入試のミスの事例である[9]。

受験生Aさんが間違って別の受験生Bさんの座席に座って受験をしてしまった。たまたまBさんは欠席だったので、Aさんは自分が間違った座席に座ったことに気づかなかった。Aさんのテスト結果はよかったので、合格ラインを超えていた。ただし、受験したのはBさんとして処理されたため、Bさんに合格通知が届いてしまった。受験していないBさんが、自分に合格通知が届いたのは何かの間違いだろうと学校に連絡したことで、ミスが発覚したのである。

●座席の間違いはよくある

座席には受験番号が貼ってあり、受験生は自分の受験番号が書かれている受験票を持っている。受験票がないと受験できないから忘れてきたわけではなかった。偶然にも受験番号がよく似ていたのである。実際の受験番号は不明だが、次のような違いだったという。受験生Aの受験番号が「３６４３０３」といった数字で、間違って座ったのが「３５４３０３」。上から2桁目だけが違っていた。

座り間違いというのは日常的にもよく生じる。列車の座席や飛行機の座席などで、間違って座ってしまう人はよくいる。殊に、受験のときはしっかりと確認すべきだと思われるが、桁の多い受験番号だと、勘違いしやすい。初めて訪れる受験会場であれば、なおさら勘違いしてしまうことは十分に考えられる(受験会場の下見ができるが、試験室まで入ることができないのが通例である)。受験生は受験ということでかなり緊張することがあり、受験生を責めることはできない。

●試験監督者は確認しなかったのか

受験生が正しく座っているのかどうか試験監督者は受験番号を確認しなかったのだろうか。もちろん確認しているはずである。しかし、確認が不十分であったのだろう。

また、通常は顔写真で確認をするが、現実には、受験票に貼付されている写真と本人の違いを見抜くのは至難の業である。髪型が変わっていたりするとわからないものである。

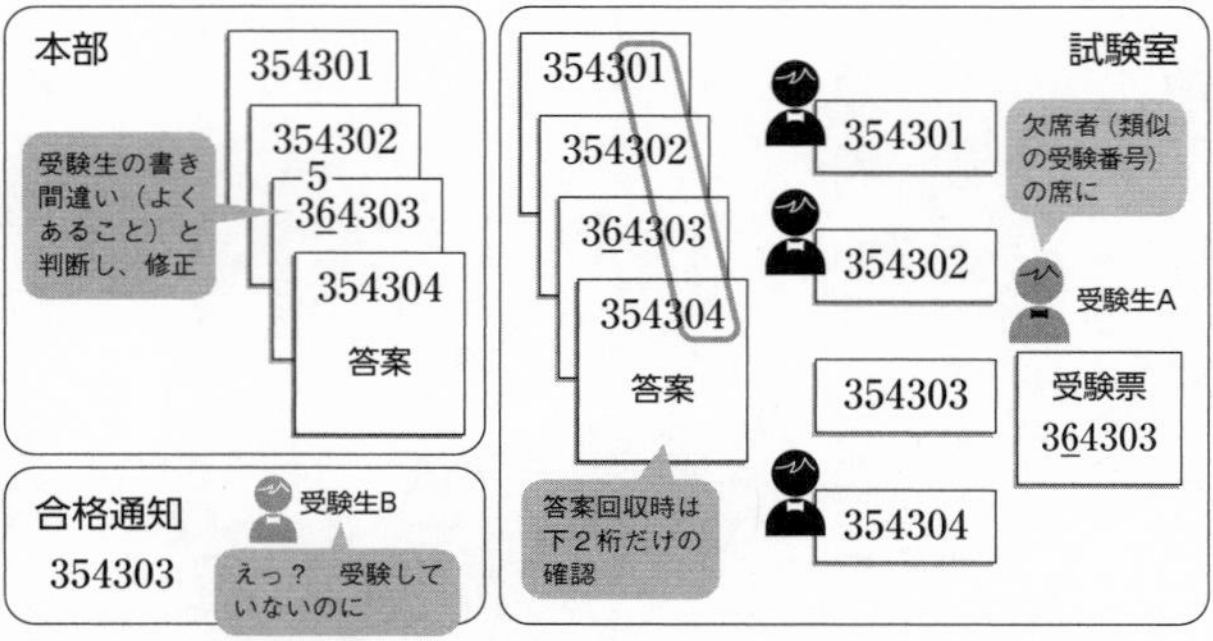

図１　入学試験で欠席者を合格としてしまったミスのイメージ

それでは、答案を集めたときに確認しなかったのだろうか。答案には当然受験番号を記載している。これも確認している。ただし、ここでも確認のやり方が不十分だったようだ。受験番号をすべての桁で確認していなかった。通常、回収した答案用紙は受験番号順になっているので、上位の桁は同じである。全桁を確認していると時間がかかってしまうので、下２桁か下３桁のみ確認すれば効率がいい。実際には下２桁しか確認しなかったようである。間違った受験生の受験番号が「３６４３０３」で間違って座った席の番号が「３５４３０３」。下２桁の確認では間違いに気づけなかったのである。

●試験監督者の確認不十分はなぜ生じるのか

試験監督者が答案用紙を回収した後の確認で、全桁を確認しなかったのは、まさか、上の桁は間違いがないだろうというリスクに対する過小評価があったと考えられる。

ただし、この背景要因として効率性を求めることがあった。試験が終わり、試験室で答案用紙を確認している間は受験生はじっと待っていないといけない。試験監督者は早く作業をすませてあげなければならないという気持ちが強い。

そして、試験と試験の間の休憩時間は受験生には十分とってあるように思えるが、試験監督者にとってはかなりタイトなスケジュールになっている。答案を回収し、それを試験本部に持ち帰り、受け渡し確認作業がある。それが終わると、次の試験科目のための注意事項が連絡され、問題用紙や答案用紙を受領し、数などを確認し試験室まで持っていく。それらの作業の流れを考えると試験と試験の間の時間は試験監督者にとっては休憩ではなく、その間も業務がある。そのため、試験室での答案回収を手早く済ませなければならないというプレッシャーもある。

ヒューマンエラーが生じる背景には多くの場合、時間的制約などによって、十分な確認などができなかったり、効率を優先させてリスクの高い行動をしてしまったりすることがある。

防止のためには効率性の観点は重要で、組織として人員を増やしたり、効率的にできるしくみを作ったりするなど、体制を整備することが求められる。学校によっては、答案回収の時間を見込んで、通常の試験終了時刻に加え、答案確認の時間がある旨を事前に受験生に伝えているところもある。

●なぜ受験生Bの合格となったのか

表1　発生したエラー

エラーの内容	エラーが生じた要因等
受験生の座席間違い	たまたまその座席の受験生が欠席で気づかなかった
試験監督者による受験生の確認ミス	受験票との照合が不十分だった
回収答案用紙の確認ミス	受験番号を全桁確認していなかった
本部での書き間違いとの判断ミス	本当に書き間違いなのかどうかわかる情報がなかった

試験室で答案を回収すると、試験本部に答案を持ってきて、そこでも確認をする。その際、当該の答案用紙に書かれた受験番号の上から2桁目が違っていることに気がついた。答案を順番に回収しているはずだが、「354301」、「354302」、「364303」、「354304」となっていた。受験生Aは座席は間違っていたが、自分の受験番号「364303」を正しく記入していた。

このとき、試験本部では、別の受験生が間違って座っていたとは思わなかった。受験生が間違って記入してしまったのだろうと思ってしまった。答案用紙に氏名が記入されていればその確認はできたのだろうが、答案には受験番号だけを記入することになっていた（採点の際に個人が特定されないための配慮である）。そのため、その場では確認できなかった。実は、受験生の受験番号の書き間違いというのは、珍しいことではなく、試験本部の責任のもと、修正することはよくあったのである。

そこで、今回も受験番号の書き間違いとして、「35430３」（Bさんの受験番号）に修正してしまったのだ。

ここで発生したエラーを表1にまとめた。医療事故の事例でもそうだったが、事故が生じるのは複数のエラーが重なったときである。今回も表のように複数のエラーが重なった。

外的手がかりで防止策を検討

ここで、この事例、「受験番号の間違い」に対する防止策を検討してみよう。間違いに気づかせるための外的手がかりがどうあればいいか。前述の5つで考えてゆくが、順番にこだわる必要はなく、考えられる順番でよい。大事なのは、あまり実現可能性を意識しないことである。実現が難しいとなるとそこで思考停止してしまうからだ。可能性が低くとも一応考えてみることが大切である。

●間違った席に座れないしくみ―対象という手がかり―

まず、受験生が座ることができるのが正しい受験番号のところだけになるようにできればよい。物理的には、受験番号が適合している受験生しか座れないようにするのはほとんど不可能である。ただし、間違っている席に座ろうとすると、それに気づかせるしくみは作れないことはない。

講義室の椅子の多くは跳ね上げ式で、普段は座面が上がっている。劇場などの椅子と同じで人が通りやすくするためだ。たとえば、その座面にロックをかけられるようにしておく。あらかじめ受験手続きで割り当てられた受験番号をスマホで管理できるようにしておき、受験生が座席貼付のQRコードをスマホで読み取るとロックがはずれ、座面を倒せるような形にしておく。受験生の受験番号と座席が一致したときだけロックがはずれるわけだ。こうすると正しい受験番号の受験生しか座れないようになる。

これは外的手がかりでいうと、「対象」である。このようなしくみを作るのはかなりコストがかかり、実は現実的ではないが、実現不可能なことでも考えてみることがエラー防止の策を練るには重要である。

●チェックディジットの活用―表示という手がかり―

受験番号は机の上に貼ってあるはずなので、その「表示」で気づくはずである。しかし、それを同じ番号だと思い込んでしまったのだから、表示の工夫が必要である。表示方法そのものの工夫は難しいが、気づきやすい数字にする工夫は可能である。

ひとつには受験番号に「チェックディジット」を設けることである。チェックディジットというのはデジタルデータを通信する際に用いられる誤り防止のひとつの方式である。たとえば、「3456」というデータを送信したときに誤って「3457」と送信されてしまった。それが間違いなのかどうかはわからない。ここでデータに誤り検出用の桁をもう一桁追加するのである。この桁の数字は、たとえば次のように決定する。データの各桁の数字を合算して、その値を10で割り、その余りの数字をチェックディジットとして付加するのである。

$$(3+4+5+6)\div 10=1\cdots 8$$

計算すると余りは8になる。そこで、データに「8」をくっつけて「34568」としてデータを送信する。このデータが正しく送信されたかどうかを確認するために、受信した側で受信したデータの最初の４桁について先ほどの計算をしてみて、チェックディジットの値を計算する。このとき、たとえば４桁目の「６」が「７」と間違って送信されていると、「３４５７８」と受信される。「３４５７」でチェックディジットを計算すると、（３＋４＋５＋７）÷10＝１…９で値は９となり、チェックディジット桁の８と異なることがわかる。そこで再送信してもらい、チェックディジットが合致するまで繰り返し、合致すると正しく送信されたとするのである。

実際にはもっと複雑な方式をとるが、基本的な考え方はこんな感じだ。これを応用して、実際に受験番号にも採用されるようになった。

現在の大学入学共通テストの受験番号などは、数字だけで構成されておらず、最後の桁はアルファベットを採用して、受験生のマークミスがあっても誤りを発見できるようになっている。

たとえば、受験番号の各桁の数字を合計し、13で割り、その余り０、１、２……に対してアルファベットを順にA、B、C……と割り当てるのである（数字と紛らわしいIやOは飛ばすのが望ましい）。前述の事例の場合、受験番号「３５４３０３」は次のようになる。

（3＋5＋4＋3＋0＋3）÷13＝1…5（F）

そうしてFを末尾につけ、「354303F」とする。一方、受験番号「364303」では数字は上から2桁目の5が6になり1多いだけなので、余りは6、アルファベットはGとなり「364303G」とする。こうしておくと末尾のアルファベットが異なるため、受験番号の間違いに気づきやすくなる。

この方式であれば、末尾の英字も含めた受験番号の全桁の中で1桁の英数字だけが異なる受験番号は存在しなくなる。必ず2カ所以上が異なる。1桁の数字だけしか違いがなければ、受験生も試験監督者も気づきにくい。最低でも2カ所が必ず異なっていると間違いに気づきやすくなる。

●氏名を明記した一覧表との照合—文書という手がかり—

「文書」とはマニュアル、注意文、チェックシートなどを指す。

機器の操作のしかたなどはマニュアルを読んでもらうことで気づくことができるが、番号の間違いに気づかせるのは難しい。「受験番号と座席が合っているか確認してください」といった一般的な注意喚起しかできないため、ほとんど対策としては期待できないだろう。

受験票や問題用紙に注意書きがなされていたり、受験会場にも受験室を間違えないように貼り紙がしてあるだろう。いずれにしても、直接的に個別の受験生に対して正しいかどうかの手がかりを与えるのは難しい。

ただ、試験本部でのミス防止には、文書で気づくような形にすることはできたはずだ。試験本部では受験生の受験番号の書き間違いだと思ってしまった。受験番号の書き間違いなのか、座席を間違って座ったのかは、受験生が帰ってしまった段階では確かめようがない。ただし、答案用紙に氏名が記載されていれば、確認はできたはずである。おそらく、受験番号と受験生の氏名が書かれた一覧表があったはずだ。

ところが、答案用紙には受験番号だけしか書く欄がなかった。採点の際に受験生が特定できないように受験番号しか記載しないようにしていたためである。ただし実際には、採点の際には答案用紙をまとめてホッチキスで綴じていて、受験番号の部分が見えないようになっている。そうであるなら、氏名も書かせるようにして氏名の部分も綴じる際に見えないようにしておけば、採点の際に問題はない（実際にこの事例のミスの後、答案用紙に氏名を書かせる対策をとるようになった）。

答案回収の際には綴じる前であるから、受験番号の書き間違いといった疑義があった場合の確認に使えることになる。その情報が与えられれば、ミスを防止することもできる。受験生の一覧表は、「文書」として誤りに気づく手がかりになる。

●ネット時代の利便を活用—電子アシスタントという手がかり—

さきほど、「対象」のところで座席ロック解除の方式を述べたが、正しい座席かどうかのチェックを電子的に行うことは不可能ではない。外的手がかりの分類では「電子アシスタント」である。

電子アシスタントは筆者が独自に名付けた用語である。ＩＴ化やＤＸが進み、いろいろな作業が電子的にできるようになった。それに伴って間違いに気づかせるしくみも電子的に作ることが可能になったり、人間が正しく操作等を行えるようにナビゲーションをしてくれたりするものである。

今、入学試験の出願はほとんどインターネット出願となっており、受験票も受験生が自ら印刷して持参するようなしくみとなっている。そうすると、スマホの受験票という方式も可能である。

試験会場の座席に受験番号とともにＱＲコードを貼付しておけば、受験生が座席のＱＲコードをスマホで読み取ることで、自分の受験番号と合致するかどうかチェックできる。「対象」で述べた椅子のロック機能まで求めなければ、こうしたシステムは技術的には実現可能であり、インターネット出願まで実現できているのであればコストもそれほどかからないだろう。

さらに受験生によるチェックをシステムと連動させれば、いつも試験監督者が目視で実施している受験生の出欠確認もタブレット上でできることにもなる。

●試験監督者以外で気づく人は――人という手がかり――

受験生自身は正しい座席に座っていると思っているので、違う席にいても気づけない。だれか他の「人」が気づかせてあげられればよい。試験監督者がチェックして気づくことが期待される。ただし、完璧なチェックは難しく、今回のように気づけない可能性もある。試験監督者もヒューマンエラーをしてしまえばどうしようもない。

試験監督者は、その教室内の全受験生を確認する必要があり、個々の受験生に注意を集中させてチェックすることが難しかったのかもしれない。そこで、考えられるのは、受験生の隣同士で確認し合うというやり方である。1人の試験監督者が全員を確認するのに比べれば、受験生同士であれば1人の確認負担は隣の人だけなので、注意は集中しやすい。

しかし、これは現実的ではない。教室では不正防止のため隣の人とは席が離れているし、欠席者がいると隣の人がいないこともある。それに、そもそも受験生同士に確認させることに問題があるのではないかという考え方もある。

ただし、試験監督者1人への負荷をうまく分散させるやり方はないかを考えるということには意義があろう。

外的手がかりを考えてみることが大事

表2に、ここで検討してきた外的手がかりを整理してみた。ここで大事なのは対象や人の外的手がかりのように、実際には実現可能性が低くても考えてみることである。こ

表２　考えられる外的手がかりによるヒューマンエラー防止策

外的手がかり	考えられる防止策
対象	正しい座席でないと座面のロック解除ができないしくみを作る（実現可能性低い）
表示	受験番号にチェックディジットを設け記号を付加する
文書	答案確認場面で受験生一覧表で氏名と照合
電子アシスタント	机上のQRコードをスマホ受験票でチェック
人	受験生の隣同士で確認（実現可能性低い）

の事例の場合では実現可能性は低いとしても、事例が異なれば、これらの手がかりで有効なものが考えられる可能性がある。

防止策を何もないところから考えるのは大変である。しかし、外的手がかりの枠組みで考えていくと、いろいろなアイディアが浮かぶ。その事例に対して精緻に頭の中で考えていくことが自然にでき、思考が活性化され、有効な防止策を考えることにつながる。

第5章　外的手がかりの枠組みでエラー防止を整理

入試ミスにおいて、受験番号の間違いに外から気づかせる手がかりを防止策として検討してきた。

残念ながら、外的手がかりがあれば、ヒューマンエラーを完全に防ぐことができるわけではない。外的手がかりが自然に気づかせてくれる、ということは多くなく、こちらから能動的にそれを利用しなければならない場合もある。つまり外的手がかりを利用して確認するという行動が求められる。

5つに分類した外的手がかり（文書、表示、対象、電子アシスタント、人）によって違いがあり、それぞれどのような役割があり、どのような機能を果たすことができるのかが異なっている。ここでは考えやすい例としてケーブルを端子に接続するという作業を取り上げて説明することとする。

インターホンの配線間違い【事例5】

我が家のあるマンションでインターホンの取り換え工事があった。接続すべき線がたくさんあり、専門の業者とはいえ正しく接続するのは気を遣う作業だろう。マンションはエントランスの共同玄関のインターホンから各戸を呼び出し、各戸から共同玄関のドアの解錠ができる。また、各戸の玄関にもインターホンがある。そのため、各戸のインターホンにはエントランスからのケーブル（解錠用、映像音声用）、各戸の玄関からのケーブル（映像音声用）、電源ケーブルなど、たくさんのケーブルを正しく接続しないといけない。いかにも間違いそうである。

業者さんは、同じ工事を何度も行っているのだろう。説明書などを見ずに、てきぱきと作業を進められていた。途中、テスターを使って通電チェックをしながら、手際よく作業が進んでいった。さすがプロである。

ところが接続を終えて、モニタとスピーカのついたパネルを取り付けて動作確認を始めたがうまくいかないようだった。またパネルを外して、接続を確認していた。そして、一緒に来て別の場所で作業をしている同僚に電話で尋ねた。どこか間違って接続していたようで、接続し直し、改めてパネルを付けたら、そこで完了した。

業者さんは何度も同じ作業をしているため接続は頭の中に入っているが、それでも間違うことはある、ということだろう。

接続作業を再現してみよう。

ここでは、話を簡単にするため、端子が4つだけだとする。そこにケーブルをそれぞれ接続するという作業である。端子は縦に4つ並んでいて、ケーブルは赤、青、黄、白に色分けしてある（図2）。そして、一番上の端子には赤のケーブル、以下、順に青、黄、白と接続する。当然、間違って接続してしまうと動作しない。

文書で気づかされる

どのケーブルをどの端子に接続するのかは、施工の説明書に書かれている通りにやればよい。このような場合、文章というよりも図解で説明がされる（図2左）。どこに接続するかはこの説明書を見ればわかる。接続のしかたがわからなくなったときは、この説明書が手がかりになる。

こういった説明書は「文書」である。機器の操作や作業を行うためにマニュアルとして作られ、その通りに行うことで間違いのない操作や作業ができるように用意されている。作業手順書、取扱説明書などのほかにも簡単な説明メモやチェックリストなどもこれに含まれる。

文章で手順などを説明することは比較的簡単にできる（あとで述べるハード的な外的手がかりに比べて、ということである。ハード的外的手がかりは、どのようなしくみにするのか検討の必要があるし、コストもかかってしまう）。

何をどうすればよいのかを言葉で説明することは難しいことではないので、それを明文化すればよいことになる。とくに、説明メモや注意書きはそれほど手間がかからない。

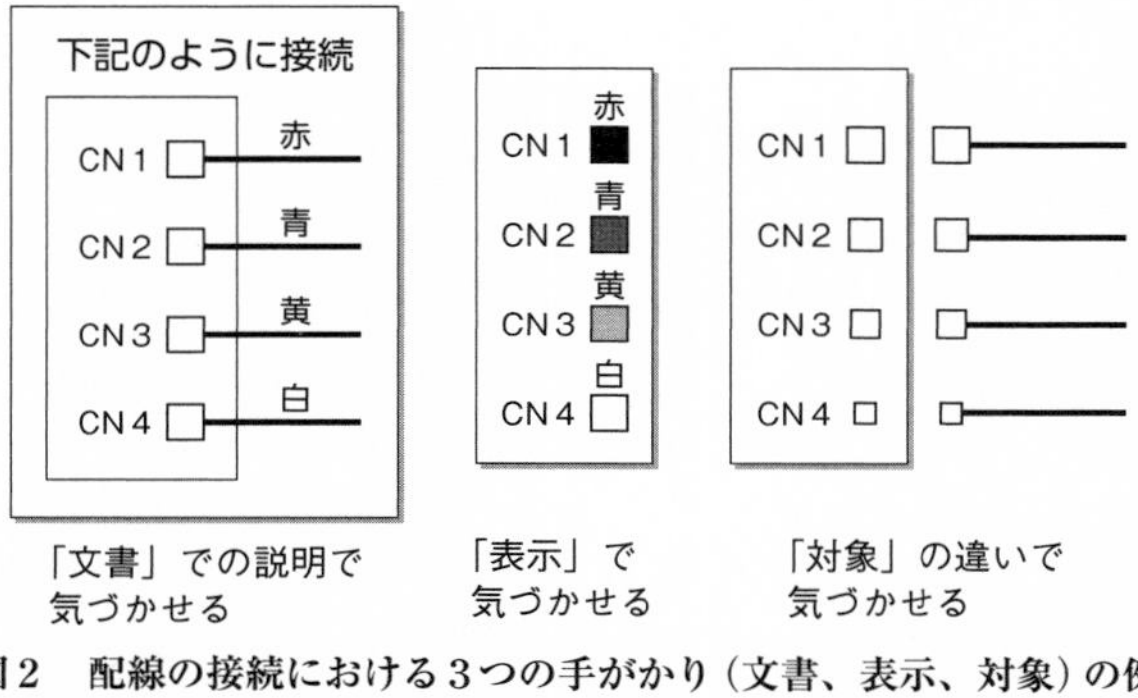

「文書」での説明で気づかせる

「表示」で気づかせる

「対象」の違いで気づかせる

図2　配線の接続における3つの手がかり（文書、表示、対象）の例

文書なので図表を入れることも可能で、工夫をすればヒューマンエラー防止の重要な手がかりにはなる。ただし、わかりやすい文書を作成するのは決して容易なことではない。最近のマニュアルはわかりやすいようにイラストなどを交えて工夫がなされているが、利用者により理解しやすいように作成するのは、実際には手間がかかる。

●せっかくマニュアルがあっても見ないこともある

説明書や手順書の問題は、作られていても見られないことだ。マニュアル等を正確に読み解くことは実は難儀であることに加えて（そもそも、わかりやすく書かれていない場合もある）、それを見るためにマニュアル等を取り出すことが面倒だと感じるからだ。

また、説明書を見ながら作業をするのは大変である。インターホンの工事のような場合、作業中は両手がふさがっているし、当然、立ち仕事になるので説明書を横においての作業は難しい。何度もこの作業を経験した担当者としては、見ないで作業をやってしまう可能性がある。手順を確認するチェックシートなどを見て作業をしなければならないとルール化されていても、それを怠ってしまう可能性もある。「説明書を見る」という行為に「行動コスト」がかかるからだ。

私たちの日常的な場面でも、家電製品などを使う際にマニュアルを探してきて、必要なページを見つけ出すことはかなり面倒で、見ないまま操作をしてしまい、間違った操作をしていた、ということもある。

●紙ではなく電子的な文書の活用

紙のマニュアル等は、取り出したり、必要なページを探したりするのが面倒である。電子化されていれば、検索機能を利用することによって、行動コストを低減できる。また、説明文中の用語がわからなかった場合、そこをクリックすると説明が表示されたり、関連の説明部分に飛ぶことができたりするなど、簡単にアクセスできるようにすることができる。さらに、電子化されていれば、文章や図表だけではなく、動画でも表現できる。

実際、最近では電子化されているものも多く、パソコンなど端末機器を使うのが常態化しているため、パソコンやタブレット上に電子化された手順書があれば、アクセスがしやすい。製品によっては紙のマニュアルは添付されず、ウェブサイトなどから閲覧することを前提にしていることも少なくない。

さらに、家電製品の中には、製品自体にQRコードが貼付されているものがあり、スマホでアクセスすると、電子マニュアルが表示されたり、動画で利用操作の説明がなされるなど、利用しやすくなっている。動画の説明になると、もはや文書ではないと思われるかもしれないが、受動的に見るので、ここでは文書のカテゴリーとしてとらえる。

このように電子化によって紙の文書に比べ行動コストを低くすることができる。

表示で気づかされる

いずれにしても手順書などの文書は、わざわざ見なければならない。その行動コストは決して低くない。そこで、実際に操作や作業を行う場所に表示がなされていれば必ず目にするため、そこで確認できる。文字通り「表示」という外的手がかりである。

たとえば、ここでの例であるケーブルと端子の接続に関しては、各端子のところに対応するケーブルの色を表示しておけばよい。「赤」「青」「黄」「白」といった言葉での表示でもよいが、直接端子の色をその色にしておけばわかりやすい（図2中）。

また、患者確認のリストバンドも表示に相当する。患者という対象に直接表示されていることになる。先の患者取り違えの事故の場合、それを防ぐにはリストバンドが有効だった。リストバンドに患者の氏名などの情報が書かれていれば、ひと目で患者確認ができる。

実際に操作したり作業したりする対象に施される表示は、行う人が必ず目にするものである。セルフレジなどでバーコードをスキャンする場合、読み取る場所に「バーコードの読み取り」などといった表示がなされている。機器を目の前にしてどこにあるか探さないといけないが、基本的には目にしさえすれば、やり方がわかる。

●わかりやすい表示にするには？

表示はわかりやすくしないとかえって誤解を生んでしまう。

モノを区別する場合は通常、名称が表示されている。たとえば料理に使うトマト缶にはカットトマトとホールトマトの2種類がある。区別するために「カット」か「ホール」か、缶詰に名称が書いてあるが、よりわかりやすいようにイラストが描かれている。カット缶にはカットしたトマトが描かれ、ホール缶にはカットしていないそのままのトマトが表示してあり、わかりやすいよう工夫がなされている。

医療場面では、よく似た名称の薬が間違われることがあるが、名称自体が類似していると間違ってしまうことも避けられない。薬の場合、その成分の含有量が異なる場合もあり、その違いもわからなければならない。そのため薬のメーカーはわかりやすいように工夫をしている(含有量のmgなどによって、薬品名に数字を付すなど)。前述の患者取り違え事故で、フランドルテープが何のテープか判別しにくかったので、心臓のマークや製品名がつけられるようになってわかりやすくなったのも表示である。

表示の場合、人はじっくり見るのではなく、ぱっと見て操作や作業をしてしまう。文書になると、それなりの構えがあるので、文章を読んで理解しようとする。文書は一言では説明できないような場合に向いているが、表示の場合はじっくり見てくれないので、ひと目でわかるようになっていないといけない。

●表示スペースが限られる

ひと目でわかるようにといっても、表示の場合、表示スペースが限られてしまうことがある。文書であれば長くなってもかまわないが、表示ではそうはいかない。

操作ボタンなどの場合、ボタン自体に機能を表示することになるが、表示スペースが限られているため、押すことで何ができるかを簡潔に表現しなければならない。そのため略記されたりアイコンで示されたりすることがあるが、略されすぎたり、簡素化されすぎて意味がわからないことがある。

最近、電子決済を使う機会が増えたが、さまざまな種類があるため、カテゴリー名で表示されることも少なくない。たとえばPayPayなどは、スマホでバーコードを表示しそれを読み込ませるため、バーコード決済と言われる。しかし、それを知らなければ、各種ウォレットアプリをまとめて指した「バーコード決済」の表示に、自分の持っているPayPayでいいのかどうかわからない。他の決済方法はモノと対応した名称になっている。現金、クレジットカード、交通系カードといった具合で、それぞれ現金やカードといったモノと対応しているのでわかる。利用者からすると、自分は「○○ペイ」「××ペイ」といった感覚であるため、「バーコード決済」ではピンとこないのだ。

セルフレジなどで、支払い方法の選択画面に各○○ペイのアイコンが表示されていればよいが、すべてを網羅するのは不可能だ。限られたスペースに的確にわかるように表示できる場合はよいが、それが難しい場合は少なくない。

●意味がわからないことがある

石油ファンヒーターのボタンに「クイック点火」という名称のものがある。単純に考えると、このボタンを押すとすぐに点火してくれるように思えるが実際にはそうではない。ファンヒーターの場合、バーナー部が冷えていると点火できない。その状態で「運転開始」などのボタンを押しても、バーナーが暖まるまでに数分かかるので数分後でないと点火されない。そこで、すぐに点火できるようにするボタンが「クイック点火」なのである。

しかし、クイック点火というのは予熱をさせておくためのボタンにすぎず、このボタンを押すとすぐに点火できるわけではない。「クイック点火」を押しても予熱に数分かかる。早く点火させたいと思って、「クイック点火」を押してからすぐに「運転開始」などのボタンを押しても、直ちに点火できるわけではない。あらかじめ「クイック点火」を押しておかないと意味がないのだ。

そこで「予熱準備」などとするのが的確かもしれないが、それもしくみをわかっていないと「予熱」の意味がわからない。利用者目線を想定すれば、時間をおかずにすぐに点火できる機能という意味でわかりやすいのは「クイック点火」なのだろう。しかし、このボタンを押したらすぐに点火できるという誤解を生んでしまう。

●表示が恣意的に

表示の場合、言葉での表現ではなく色やアイコンで表示されるものも含む。さらに音の場合も広い意味での（聴覚的な）表示と考えられる。

色やアイコンの場合、それが何を表しているのかが恣意的に決められていることがある。言葉での表示だと、その言語がわからない人が困るためランプ点灯であったり、アイコンにしたりすることがあるが、わかりやすさとしては問題がある。

たとえば、電源のオンオフを示すランプの色は必ずしも統一されていない。電源がオンの場合に赤が点灯し、オフのときに暗くなっているものがあったり、スタンバイモードがある場合に、赤がスタンバイで緑が電源オンの場合もある。また、それが逆になっている場合もある。こうなると利用者にはわかりづらい。アイコンやマークの場合もそうである。説明されないと何のアイコンなのか何のマークなのかわからないものも少なくない。

家電機器のエラー表示などになると、記号（たとえばC3など）で表示されたり、ランプの点滅パターン（早く点滅を繰り返す、1秒おきの点滅など）で表現される場合もある。これらになると、別途説明書を読まなければならなくなる。

一方、音の場合はスペースの問題は発生しない。ただし、音声で明確に伝えられるしくみもあるが、エラーを表す場合に、ランプの点滅パターンと同じように音のパターン（たとえば、ピピピという連続音、ピーピーピーと一音ずつが長い場合など）で表現される場合や音の高さの違いで表現される場合もある。

以上のように、表示というのは文書に比べるといろいろな制約が生じるため、表示内容の解釈ができなければ外的手がかりとして効果がなくなってしまいかねない。

対象で気づかされる

表示は、必ず目にするが、その表示内容がわからないと手がかりとして意味をなさない。また、人間がその表示通りに行為を行うという保証はない。

ケーブルと端子の接続の話に戻ると、たとえ、表示として端子の色とケーブルの色の対応があったとしても、間違って接続する可能性はゼロではない。

そこで、間違った接続ができないような工夫を考えるべきである。対応したケーブルしか接続できないようにするのである。ここでは、ケーブルの接続部の大きさを色ごとに変えてみる（図2右）。たとえば赤は16㎜、青は12㎜、黄色は８㎜、白は４㎜とする。色を間違って差し込もうとすると、ぶかぶかになるか小さくて入らないことになる。すると間違っていることに気づく。

パソコンなどを含めた家電製品の場合、ケーブルの向きが正しくないと差し込めないようになっていたり、プラグの形状が用途によって変えてあったりして、間違ったケーブルが差し込めないようになっている。

実際に作業等を行おうとしても形状などが合致しないことで、うまくできないことに気づかされる。外的手がかりの中の「対象」である。

患者取り違えの事故の場合、関わる医療スタッフが患者さん本人と面識がなかったことが間違いに気づかなかった原因であったが、事前に執刀医が手術の説明を行うなど対面して本人のことがわかっていれば、顔つきや体つきの特徴などから眼前にいる患者さんが違うことに気づいた可能性は高い。この場合も、外的手がかりとしては対象にあたる。

●説明されなくても対象からわかる

対象という外的手がかりの強みは説明されなくてもわかることだ。プラグの形状の違いでどこに差し込むかがわかり、口径が異なるとうまく差し込めないから間違いがわかる。

私たちが使う道具の中には、その道具を見ればどのようにして使うのかがわかるものが多い。たとえば、取っ手がついているカップは、熱いものが入っていてもそこを持てばいいとわかる。ハサミは指を入れるところがあり、切る部分がどこであるのかわかる。ただし、見ただけではわからないものもある。缶切りなどは刃部があるので何かを切る道具であろうことは気づいても、はじめて見た人には使い方がわからないかもしれない。誰かに教えてもらうか説明書が必要となる。

操作ボタンなども、形状を見れば、それを押すのか回すのかなどがわかるが、中にはおしゃれなデザインになっていてどこが操作ボタンなのかわからないようなものもあり、このようなデザインはヒューマンエラー防止の観点からすると失格といえよう。

モノは、その使い方に関して（暗黙に）何らかの情報を発していると考えられる。ヒューマンエラーなどの研究も行った認知心理学者のノーマンは、それをシグニファイアという言い方をしている[10]。どのような操作をすればいいのかサインを与えるものといった意味合いである。適切なシグニファイアがあるような「対象」が外的手がかりには望まれる。

●使おうとすると間違いに気づく

かつて、医薬品の中で、水虫薬と点眼薬を間違える事故が発生していた。どちらの薬も容器をつまんでへこますことで液が滴下するようになっていて、手に持って行いやすいよう、容器自体の形や大きさが類似している。そこで事故を防ぐために、水虫薬には「目に入れないこと」といった表示が目立つように赤い文字で入れられていたり、添付の説明書には注意書きがなされたりしている。

しかし、表示や文書の場合、見ない可能性がある。そのため事故は起こってしまう。そこで、厚生労働省がメーカーに容器を変えるように通知を出した[11]。水虫の薬では滴下しないタイプのものが販売されるようになった。塗り薬、スプレータイプや、スポンジキャップになっていて患部に押し当てると液が出るタイプなど、眼に差すことはできない形態のものに変わっていった。このようにモノ自体を変えることで間違いを起こさないしくみが作られた。

　同じ薬品でいえば、ＰＴＰ包装のものも誤飲事故が起こっていた。ＰＴＰ包装というのは私たちが処方薬としてもらう錠剤によくあるタイプだ。たくさんの錠剤が格子状に連なってプラスチックで包装されており、裏のアルミシートを押し破って1個ずつ取り出すタイプである。シートにミシン目が入って必要に応じて切り離すことができ、薬局などでは、処方された個数分切り離したものが渡される。

　通常は錠剤だけを取り出して服薬するわけだが、包装のまま1個ずつ切り離しておいた結果、包装されたまま服薬してしまう事故が生じた。カプセルのような感覚で飲んでしまうのかもしれない。そこで今販売されているＰＴＰ包装では、1個ずつにならないようになっている。たとえば横3×縦5といった形で15個まとまっているとすると、切れ目が横にしか入っていなくて3個単位でしか切り離せないようになっている。

　さすがに3個の包装のまま服用する人はいないため、包装から取り出すのだということに気づくことになる。わざわざハサミで切り離したりしないかぎり、気づきにつながる工夫がなされたケースだ。

●すべての場合に対応できるわけではない

対象で気づかせるのは、ヒューマンエラー防止としては確実性が高いが、すべての場合にこのような対策が施せるわけではない。たとえば、オレンジジュースを飲みたいと思ったのに、グレープジュースのボタンを押してしまった、というような間違いを対象で防ぐことはできない。

基本的には対象としての外的手がかりはハード的に実現することになるため、ハード面で不可能なものは対応できないことになる。機器等のハード的しくみを変えなければならないため、コストがかかり、実現できない場合もある。

電子アシスタントで気づかされる

ハード的にはできなくても、電子化によりソフト的なしくみで同様のことが実現できる場合はある。そういったものを総称して「電子アシスタント」という。

たとえば、患者確認する場合、リストバンドに患者の氏名を書いておくのは表示になる。表示の場合、仮に患者さんの氏名が類似している場合、氏名を見ただけでは間違ってしまう可能性がある。これにバーコードが貼付してあれば、そのバーコードで正しい患者かどうかチェックするしくみを作ることができる。

予定された手術室の入口にセンサがあって、そこに患者さんのバーコードをスキャンさせ、患者さんが正しければドアが開くといったしくみである。ＩＣタグなどをリストバンドにつけることができるようになると、スキャンさせなくても近づくだけでドアが開くといったことも実現できよう。

もちろん、これらもコスト面ではあまり現実的ではないが、手術室備え付けのパソコンにつけられたハンディスキャナで患者確認をするなどであれば、実現の可能性は高い。

●ナビゲーションの有効活用

さらに、電子化の特徴を活かし、人間の作業を双方向的に支援してくれるしくみを作ることもできる。たとえばセルフレジやＡＴＭなどは、お客さんが１人で操作できるように画面上に指示が出て、それにしたがって操作をしていけば間違いが生じないように工夫されている。

最近では、画面上の指示も言葉だけではなく、イラストで丁寧に説明をしてくれる。セルフレジの場合、商品をどこに向けてバーコードを読ませるか、決済画面ではどこでカードなどを読ませるかがイラストで表示されたりする。それもアニメーションでカードのタッチや挿入などを示してくれて、非常にわかりやすくなっているものもある。

このように操作手順を導くナビゲーションの役割を果たしてくれる。また、一連の操作手順の中で、そのまま進めてよいかどうか、確認を求めることもしてくれる。たとえばパソコンの操作などで、文書作成ソフトを終了するときにデータの保存をしていないと、「保存しますか？」といったメッセージが表示されて、保存し忘れのミスを防いでくれる。

このようなしくみをインターロックということがある。インターロックは決められた手順を正しくしないと次に進めないようなしくみである。この場合、保存の要否を判断しないと終了に進めないというしくみである。ファイルなどの削除の操作も確認が求められるが、実行して取り返しのつかないことになってしまうこともある操作では、このような機能があったほうがよいだろう。これも電子アシスタントだと言ってもよい。

●電子アシスタントは情報のチェックに有効

電子アシスタントは、情報が電子化されたシステムで管理されており、それを使ってチェックを行うため非常に有効である。パソコンやスマホなどの電子機器を使う場合、利用するアプリケーションでできるチェックを機能させるとよい。電子化されていないモノの情報の管理においては、バーコードを貼付するなどして、システムで情報が管理できるようにすればよい。

物流に関してもシステム化されているし、患者の確認や薬の確認なども先に述べたようにバーコードが貼付されていれば、情報の管理ができるようになる。

問題になるのは、人間と情報機器のインタフェースである。つまり、互いの情報のやり取りがスムーズかどうか、だ。人間側が間違った入力をしたり、情報を見誤ったりすることがある。入力に関しては、文字などを入力するような形式ではなく選択メニューから選ばせるやり方をするか、極力人間を介さない方式をとることが望ましい。郵便番号の入力から住所を自動表示させる方法などだ。

また、ネット通販などの購入代金の支払いにおいて金融機関を利用する場合、口座番号等をメモして、ATMなどでそれらの情報を入力して支払う方式をとると、口座番号等を間違う可能性がある。しかし、コンビニ払いができる場合などは、プリンタでバーコード出力ができ、そのバーコードをコンビニに持っていって端末でスキャンしてもらえばよいので、口座番号などを間違うことがない。途中で人間を介さないことが、最もヒューマンエラーを防止できるのである。

●機械は間違いを見逃さない

とある処方薬局での話[12]。患者さんがA病院からの処方箋を持って薬局を訪れた。ある漢方薬が処方されていた。パソコンで履歴をみると、２カ月前に別のB病院でも漢方薬が処方されていた。同じ薬だと思い、薬の準備をしようとした。

しかし、処方箋の２次元コードを読み取ってみると、「初処方」と表示された。同じ薬なのに、なぜ初処方？　よく見ると、今回A病院から処方されたのは「ツムラ苓姜朮甘湯エキス顆粒（医療用）」だった。２カ月前のB病院の処方は「ツムラ苓桂朮甘湯エキス顆粒（医療用）」。一見すると同じに見えるが、違う薬だった。

患者さんに尋ねるとB病院で処方されていた薬と同じ薬をA病院でも処方してもらったはずだったそうだ。A病院が類似した名称の別の薬を間違って処方してしまったのだった。パソコンでチェックしたから気づいた事例である。人間は見過ごすが、機械は間違えない。

この事例では、名称を変えたほうがいいかもしれない。名称が長い上に異なっているのは1文字、「桂」と「姜」だけである。漢方に詳しい人にはこの違いがわかるのだろうが、そうでないと違いがわかりにくい。漢方薬は薬の名称も似ていて読み方も難しい上に、包装もほとんど同じ場合が多く区別がつきにくい。メーカーでは薬に番号を付し、包装を番号の数字によって色分けしているところが多い。患者さんも薬の名称ではなく番号で覚えている人もいる。

繰り返すが、ヒューマンエラーを起こさない最大の方策は人間に作業をさせないこと。機械化や電子化ができるところは機械に任せたほうがいいのである。

人（他者）から気づかされる

こんなことがあった。飲食店の支払いがセルフになっており、伝票に印字されているバーコードを読み込ませようとするが、うまくいかなかった。すると、店員さんが来てくれて、手伝ってくれた。スキャナに対してバーコードを置く位置がずれていたようで、正しい位置を教えてもらった。

これは人という外的手がかりになる。自分ではこの位置でいいと思ってやっていた。

ヒューマンエラーは自分では正しいと思っているため、他者から間違いの気づきを教えてもらう必要がある。

インターホンの工事のときも、同僚の作業者に電話で尋ねることをしていたが、これも「人」という手がかりである。また、患者確認の場合で、患者さん本人にフルネームで名乗ってもらうのも「人」という外的手がかりである。

各種業務の場面においては、重要な事項については、チェック体制をつくって、本人以外の他者が必ずチェックするような手順をとることもある。

●臨機応変に対応できる

これまでに述べた「文書」「表示」「対象」「電子アシスタント」の外的手がかりについては、ある程度、どのようなミスが生じるのかを想定して、その防止を考えるというしくみだった。しかし、どのようなミスが生じるのか、あらかじめ完璧に把握することは難しく、想定しえないミスが生じる可能性が十分ある。それに気づくことができるのは、実は人間でしかない。経験や知識に基づいた大局的な判断が可能である点で人間は優れた外的手がかりである。臨機応変に対応ができ、エラーに気づくには有能な存在なのである。

●人間も間違う

人間が外的手がかりとして優れているのは、知識やスキルがあるためであるが、すべての人間にそうした知識やスキルがあるわけではない。そのために人によっては外的手がかりとしてうまく機能しないことも考えられる。また、知識やスキルがあってもその人のヒューマンエラーで間違いに気づくことができないこともある。

タクシーでのバーコード決済で、うまくできなくて、運転手さんにやってもらってもダメだった話を紹介した。外的手がかりとしての人がいてもその人が間違う可能性は十分にある。入試の場面でも、受験生の席の間違いに試験監督者は気づくことができなかった。患者取り違えの事故も患者さんと面識のない手術担当の看護師は取り違えに気づけなかった。

チェック作業として人が関わる場合もあり、エラー防止にとって重要な役割となるが、人間では限界もある。「人」が外的手がかりになる場合、その要員を準備しなければならない。単純な作業等であれば比較的人員を配置しやすいが、専門的な内容がわからないと有効でない場合もあり、そのような場合には人員配置が難しくなる。

外的手がかりの効果と実現可能性

ここまで5種類の外的手がかりについて述べてきたが、それらをまとめておきたい。表3にその特徴をあわせて示した。

外的手がかりは効果的なものとそうでないものがある。もちろん効果的なものから優先的に準備できればよいのだが、得てして実現するにはコストがかかり実現可能性が低いことが多い。外的手がかりの種類別にそのおおまかな関係性を図3にまとめた。

外的手がかりの中でもっとも効果的なのは「対象」である。対象は必ず作業時に扱うものであり、ケーブルの接続のように間違った接続ができないようなしくみにすることが可能であれば、エラー防止の効果は非常に高い。ただし、ハード的なしくみが必要となるため、その実現

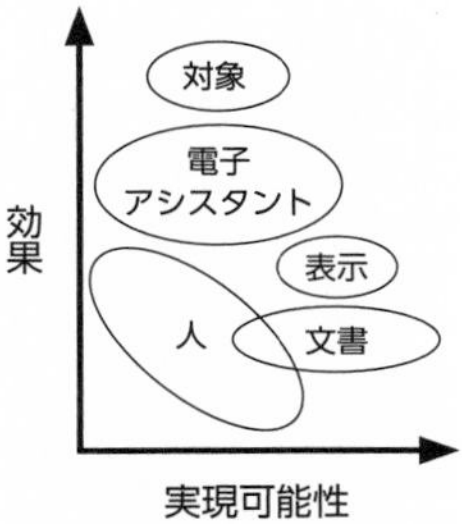

図3　外的手がかりの効果と実現可能性

の可能性は低くなってしまう。

　次に効果的なのはソフト的に防止できるしくみを作る「電子アシスタント」である。作業をナビゲーションしてくれたり、間違った情報をチェックしてくれたりもする。そのため、利用価値は非常に高い。さきほど例を示したように、薬の間違いのチェックなどには有効である。電子化されていれば、パソコンやスマホを使うことが当たり前になっている現在、「対象」に比べると実現しやすいが、既存の機器などに対してはハード的なしくみが新たに必要になる場合もあり、かえって実現が難しくなることもある。

　次に効果的なのは「表示」であろう。作業を行おうとすると目に入るから、効果はある。ただし、たとえば端子とケーブルが色分けして表示されていても、間違って異なる色の端子に接続してしまう可能性はゼロではない。物理的に接続可能であるため、完全にエラーは防止できず、効果としては相対的に低くなる。

　また、表示は、見なかったり意味がわからなかったりして十分に役割を果たさないこともある。比較的簡単に実現できるが、表示スペースの問題などがあり、場合によっては表示の効果が実現できないケースもある。

「文書」は、文章で書けばよいので実現はしやすい。しかし、わかりやすいものを作る

表3　外的手がかりの種類と特徴

外的手がかり	内容と例（ケーブル接続、患者確認）	特徴
対象	対象が直接もっている情報（シグニファイア）	見たり作業しようとすると気づく。実現できないことがある
	ケーブル接続部の形状やサイズ、患者自身	
表示	対象を示す情報で対象に表示あるいは貼付	見ればすぐわかるが、気づかないことがある
	ケーブルの色、リストバンド、フランドルテープのマーク表示等	解釈が必要なことがある 実現は比較的容易
文書	マニュアル、作業手順書、チェックシート、伝票など	情報確認やトラブル対処には必要。わざわざ読むのが面倒
	施工説明書や患者カルテ	実現は容易だがわかりやすく書くのは難しい
電子アシスタント	作業のナビゲーションやチェックシステム。情報携帯端末、音声ガイドなど	作業手順の指示を出してくれる。インターロックも可能
	リストバンドのバーコードによるチェック	情報チェックの確実性が高い。実現コストが高い
人	当人以外の人間による指摘	多様な視点でのチェックができる
	同僚作業員に尋ねる、患者から名乗る	エラーの可能性もある 人員配置が難しい

には手間がかかるため、その実現の可能性には幅があると言える。一方で、わざわざ文書を取り出して見なければならないという行動コストがかかるため、効果は相対的に低い。

効果や実現可能性が明確に定まらないのが「人」である。先に述べたように、ほかの外的手がかりはあらかじめ想定されたことにしか対処できないのに対して、人間の場合は想定されていない間違いにも気づくことが最大の利点である。

ただし、知識やスキルがある人に外的手がかりとしての役割を果たしてもらえなければならない。また、どんな人であっても、間違いをする可能性があるため、実際の効果は明確にならない。単純なチェックであれば、人間よりも機械のほうが間違えない。実現の可能性に関しては人員的な配置が難しい場合もあり明確ではない。

5つの枠組みで防止策を現場で考える

外的手がかりを5つの分類で説明してきたが、明確に分類することに意味があるのではなく、分類の枠組みをエラー防止の手がかりとして考えることが重要である。「対象」で工夫できないか？「表示」で工夫できないか？「文書」で工夫できないか？「電子アシスタント」で工夫できないか？「人」で工夫できないか？　を考えればよいのである。

そして、もっとも重要なことは、外的手がかりを考える場合に机上で考えるのではなく、現場で考えることである。実際に何が問題でどうすれば効果的な対策が立てられるかは現場でないとわからないし、現場に行くとヒントが見えてくるものである。

第6章　そのときの状況がエラーを招く

事故というのは、ひとりだけが関係するものではないことが多い。複数の人が関係していることが少なくない。そして、さまざまな要因が重なりあって生じてしまう。ここでも事例を紹介しながら検討してみたい。

薬の処方ミスによる死亡事故【事例6】

ある病院で起こった薬の間違いの事故である[13]。

名称がよく似た別の薬を医師が電子カルテ上で間違って処方してしまった。その薬のことをよく知らなかった看護師は間違った処方であることには気づかず、その薬を点滴してしまった。ところが、その薬は筋弛緩剤という危険な薬であって、患者さんは呼吸が停止し亡くなってしまった。

以下、事故に至る経過を公表された事故調査報告書から見てみよう。なお、ここでは、すべての経過を示しているわけではなく、途中の医師と看護師とのやりとりの場面などを省略していることをご容赦願いたい。

●熱を下げるために点滴を

入院中の患者さんに発熱があった。看護師のAさんが病室を訪れ検温すると37・8度。夜の19時45分頃であった。とりあえず後頭部を冷やすことに。しかし、21時過ぎには39度を超えてしまった。

A看護師は宿直医に相談した。宿直医といっしょに患者さんの病室を訪れたのは21時20分。

宿直医は「熱下げましょうか？」と患者さんに声をかけた。

「そうやな、下げてほしいな」と患者さん。

「○○さんには普通の熱さましのお薬は使えんけん、点滴で熱下げますね」と宿直医は語りかけた。

宿直医はベッドサイドを離れながらA看護師に「アスピリン喘息みたいやけん（点

滴）ラインとって今日だけステロイドで熱下げよっか」と。

アスピリン喘息があるので、通常の解熱剤は使えないと考えた医師は、同じ解熱作用のあるステロイドの使用を思い立った。

●薬の選択の誤り

宿直医はステロイドを使用することは決めていたものの、どの薬を使うかは決めていなかったので、患者さんにも看護師にも伝えていなかったが、ナースステーションに戻ったとき、サクシゾンという薬を使うことを考えた。

医師は患者さんの電子カルテを開き、点滴を処方する操作を行った。

薬の名称は全部入力しなくても、最初の何文字かを入力すると候補が出てくる。宿直医は「さくし」と入力した。候補として出てきたのはひとつしかなかったので、それを処方した。ただ、それは宿直医が考えていた「サクシゾン」ではなく、「サクシン」という別の薬だった。

●サクシンという薬を看護師は知らなかった

宿直医は「点滴入ったよ。メインは朝まで持続して朝、主治医に指示をもらってください」とA看護師に伝えた。

このとき何の薬を処方したかは言葉では伝えなかった。A看護師は、PCの操作で何の薬が処方されたかを確認した。

そしてナースステーションで「サクシン」が常備していないかを見たけれど、なかったようだ。

「サクシンって常備になかったよな?」とA看護師は看護師Cさんに尋ねた。

「セルシン? 鍵付き(棚)にあるでえ」

「違います、サクシンです」

「サクシンや聞いたことないなあ」

A看護師はC看護師に薬剤部で薬をもらってくるように依頼した。

2人とも「サクシン」という薬のことは知らなかったようだ。この薬は実は筋弛緩剤で、呼吸停止を起こしてしまうので、通常は人工呼吸器などで適切な呼吸管理を行いながら使用する危険なものである。解熱目的で使う薬ではない。ICUなどでは使われるが、この病棟では使われない。そのため常備しておらず、看護師たちも知らなかった。

●薬剤部でのやりとり

21時半過ぎ、薬を取りにC看護師は薬剤部へ。看護師は、薬剤名、用法、用量を小さく声に出して、自分で薬剤と処方箋を照合し、サインをして病棟へ持ち帰った。このとき、薬剤師からはとくに言葉はなかった。

薬剤師は、この薬が危険な薬であることはもちろん知っていた。しかし、使用濃度が規定値を超えていないことを確認し、気管の中に管を通すために必要なのであろうと推測して特別なことは何も言わなかった。

●点滴の時間の確認を

21時40分頃、点滴の準備は看護師Bさんが行った。スタンドにかけ点滴を始めようとしたが、どのくらいの時間で投与すればよいか確認していなかったため、ナースステーションに戻り宿直医に尋ねた。

「サクシン、どのくらいかけていったらいいですか」

「15分か20分くらいで落としてくれていいよ」と宿直医。

ここではじめて宿直医に向かって「サクシン」という薬の名称が発せられた。このとき、宿直医が違う薬だと気づけばよかった。ところが、人間は思い込みの動物である。のちのヒアリングで宿直医は「サクシン」と言われたと思ったと話している。

21時42分に筋弛緩剤の「サクシゾン」の点滴が始まってしまった。22時を過ぎて2回ほど、点滴の残量の確認にA看護師が見に行ったときは異変には気づかなかった。

23時50分頃、A看護師が病室を訪れ、「熱を測らせてもらいますね」と声をかける。でも返事がない。脈をとるが動いていない。患者さんの名前を呼ぶも返事がない。ナースコール。処置室を開け、宿直医にも連絡。

「サクシン投与してその後意識がないんです。呼吸停止しているようなんです」

23時57分頃、宿直医も到着。呼吸停止、脈もなく、瞳孔も開いていた。人工呼吸に加え心臓マッサージ。

「点滴って、サクシゾンよね、ステロイドよね」と宿直医。

「サクシンです、筋弛緩剤」

宿直医は驚いた。

「私入れ間違えた」

蘇生の際に使うボスミン（心停止に対する補助治療薬）を何度も投与。家族にも連絡。深夜0時過ぎに患者さんの奥さんが到着。宿直医は「薬を間違えました。現在、心肺停止の状態です。できる限りのことをさせていただきます」。

1時45分、死亡の確認。

さまざまな背景要因がエラーを誘発

ここでのエラーをまとめておきたい（表4）。

●医師の処方間違い

この事故は、医師が間違った処方をしてしまったことが発端である。本来「サクシゾン」を処方するつもりだったが、電子カルテ上で処方したのは「サクシン」であり、画面上で「サクシン」という文字を目にしたはずであるが、薬の名称がよく似ていたため、正しい薬と思い込んだ可能性が高い。

ただし、この病院では医師が処方しようとしていた「サクシゾン」は採用されていなかったのだが、そのことを医師は知らされていなかった。病院に勤務して日が浅いため

表4　さまざまな要因からもたらされたエラー

エラーの内容	エラーが生じた要因等
医師が間違った薬を処方した	・間違った薬サクシンが本来の薬サクシゾンと薬名が類似 ・検索で表示された薬がひとつだけだったので間違いないと思い込んだ ・この病院でサクシゾンが採用されていないことが伝えられていなかった ・(多忙で十分に注意が払えなかった)
看護師が処方ミスとは気づかなかった	・医師が看護師に処方した薬を明示的に伝えていなかった
看護師が危険な薬だと気づかなかった	・サクシンが筋弛緩剤と知らなかった
薬剤師が確認しなかった	・気管挿管のために必要なのだろうと思い確認しなかった
医師が点滴時間の確認時に異なる薬名に気づかなかった	・薬の名称が似ていたので思い込んでいた ・(多忙で十分に注意が払えなかった)

情報伝達がなされていなかった。もし、「サクシゾン」が採用されていないことを知っていれば、この薬を処方すること自体がなかった。

皮肉なことに、「サクシゾン」が採用されていなかったのは、「サクシン」と「サクシゾン」の薬名がよく似ているので、間違いが生じる可能性があるという理由からであった。

●何の薬が処方されたのか伝えられなかった看護師

医師は看護師に「点滴入ったよ。メインは朝まで持続して朝、主治医に指示をもらってください」と伝えただけで、何の薬を処方したのかを看護師に明示的に伝えていなかった。看護師は、ＰＣ上で「サクシン」という薬が処方されたことを知るが、それが医師が意図した薬とは異なっていることはわからなかった。

口頭で「サクシゾン」という薬を処方したと医師が看護師に伝えていれば、看護師が処方のミスに気づくことができた可能性はあった。情報がうまく伝達されていれば、間違いに気づくことができたかもしれない。

●薬の知識がなかった看護師

医師が間違ったとしても、他の誰かが気づけば、この事故は防げた。薬の準備をしようとしていた看護師が気づけばよかった。しかし、「サクシン」が処方されて、それが何の薬かわからないという看護師同士のやりとりがなされている。看護師は患者さんの熱を下げる目的だということがわかっていたはずで、「サクシン」が筋弛緩剤だと知っていれば、おかしいということに気づいた可能性はある。

看護師が薬剤部に薬を取りに行ったときに薬剤師が気づけばよかった。薬剤師は当然「サクシン」がどのような薬であるか知っている。それが解熱目的で処方されていることとがわかっていれば疑念を抱いたはずである。しかし、薬剤師はその状況を知らず、気管挿管のためだろうと推測して（気管に管をスムーズに入れるために鎮静薬や筋弛緩剤が用いられることがある）、薬を取りに来た看護師に何も確認をしなかった。

人間は「正常性バイアス（実際にありえない事態に陥っていても、状況が正常の範囲内だと自動的に認識し、思い込んでしまうこと）」が働き、「誤りは生じていない」という偏った判断をしてしまいがちである。その際、その判断（誤りではないという判断）を正当化するためにストーリーを作ってしまうのである。薬剤師の思考の中で「気管挿管に必要なのだろう」というストーリーができあがったのだ。そのため、あえて確認しなくてもよいだろうという判断となってしまった。【事例1－1】で示した患者取り違えの事故の場合でも、髪型が違うことに医師が気づいていたが、散髪したのだろうというストーリーを作ってしまっていた。

●医師の聞き間違い

点滴を始めるときに、看護師が医師に点滴の時間を尋ねた場面があったが、このとき「サクシン」という薬の名称が言葉の中に入っていて、医師はそれを聞いたはずである。

しかし、自分が処方したのは「サクシゾン」だと思っているため、それに類似した名称が看護師の口から出たとしても、医師には「サクシゾン」と聞こえていたのであろう。そう思い込んでしまうのはしかたがないことであった。

これは、患者取り違えの事故で患者さんが自分の名前と違う名前を言われたのに否定しなかったのと同じで、宿直医は自分が処方した薬の名前が言われたと思っている。4文字目に「ゾ」が入っているところだけが異なるのだから、そう聞こえたとしても不思議ではない。

医師のおかれた多忙な背景

表4の中で説明していない部分があった。カッコで示した部分である。これは、医師が多忙であったことがエラーを誘発してしまった可能性である。

事故が生じたのは11月だったが、この医師は、その年4月にこの病院に勤務を始めたばかりであった。以来、ほとんど休みがなく、土日も出勤せざるをえず、4月以降、病院に来なかった日は、夏休みの3日と学会に出席した1日だけであった。

さらに、担当患者も多かった。別の宿直医が入院させた時間外の入院患者を割り当てられる場合もあったという。事故が生じた日も、分刻みで電子カルテの入力をし、ナースステーションで看護師とのコミュニケーションを十分にとれる状況になかった。

このような状態であったため、医師は9月頃からやめたいということを医局で話すようになっていた。事故の日は月曜日で、前の週の金曜日には2名の患者の入院、土曜日にも2名の入院患者があり、土日の2日連続で休日であったが呼び出されて、上部消化管出血止血術という内視鏡による施術を行っている。夏休み以後全く休日をとっていない状態で、これだけの勤務を行えばかなり疲労していたと容易に想像できる。

事故の日は、新患外来で19名の患者診察を行い、外来から1例入院があった。この4日間で5名の入院、3名の退院をさせており、その手続きでも多忙であった。

事故の日は宿直で22時頃、小児科宿直医師と医局で談笑中に「そろそろ限界なのでやめたい」と言っていたそうである。

このような多忙な状況で疲労がたまっており、処方時に薬の名称の確認も十分できず、看護師が「サクシン」と発したのが「サクシゾン」と聞こえたということもしかたがないかもしれない。

モノやシステムの改善によるエラー防止策

ではどのようなエラー防止策が考えられるかを、事故調査報告書を参考にしながら考えてみたい。

●薬の名称を変える

この事故を起こした発端のヒューマンエラーは薬の処方間違いであり、その要因は薬の名称が類似していたことであった。「サクシン」と「サクシゾン」という名称は字面も音もよく似ている。名称というのは外的手がかりの枠組みで考えると「表示」に相当する。その表示を見て、正しい薬かどうかを確認するのであるが、名称が似ていると間違いに気づきにくい。

忙しく仕事をしている折に、PC画面上でこの2つの違いに気づかなかったとしても不思議ではない。また、看護師が点滴の時間を確認したときに「サクシン」と言ったが、医師には自分が処方したはずの「サクシゾン」と聞こえたのも無理はない。

人間の問題というより名称が類似していることが最大の問題だった。そこで、名称を変えることがエラー防止策としては重要である。事故が起こった1年後に、薬剤メーカーが名称を変えることにした。「サクシン」が「スキサメトニウム」に変更された。名称が類似していたために薬が間違えられることはよくある。残念なことだが、このような死亡事故が発生してはじめて薬の名称が変更されることが多い[14]。「サクシン」以外でも、「アマリール」と「アルマール」の間違いが発生し「アルマール」が「アロチノロール」に、「タキソール」と「タキソテール」での間違いが発生し、「タキソテール」が「ワンタキソテール」に変更になっている。

間違いやすいものは排除してわかりやすく区別しやすくするのが最大の対策である。

●電子カルテで見やすく

医師が処方する際、ＰＣの画面上には「サクシゾン」ではなく「サクシン」と表示されたはずである。医師は、これを自分が処方しようとした「サクシゾン」と思い込んでしまった。字面が似ているために間違えてしまったのだろう。

このヒューマンエラーは、ＩＴ化によって生じたヒューマンエラーである。従来の手書きの指示の場合、「サクシゾン」と正しく書くことができたはずである。それが、手書きではなく、しかも全文字入力しなくても、最初の何文字かを入力するだけで薬が選択できるという、ある意味便利な機能が不幸をもたらした。

電子カルテで便利になった側面がある一方で、これまでには生じなかったであろうヒューマンエラーが生じてしまった。ここで、電子カルテで何らかの工夫ができないだろうか。事故調査報告書によると、次のような改善がなされていた。

まず、文字を大きくする。そして、筋弛緩剤のような毒薬に分類されるものは検索結果を赤色で表示する。当時、この病院では麻薬以外の薬は警告表示などの注意喚起がなされていない状態であった。

さらに、薬の名称だけではなく、毒薬や劇薬に分類されるものは「毒薬」や「劇薬」と表示したり、薬剤名のあとに薬効が表示されるようにする対策が考えられている。これらは、薬に対する知識がない人であっても危険な薬であることを知らせることになる。外的手がかりとしての「表示」の改善である。

もちろん、この電子カルテでは薬効や適応症が表示されないわけではなかった。「説明ボックス」というのがあり、そこをクリックすると表示されるようになっていたが、多忙な医師がわざわざ見ないだろう。

説明ボックスは、外的手がかりであり、電子的なドキュメントと考えられる。それを利用するかどうかは行動コストに影響される。クリックするというひと手間であるが、それはユーザにとっては大きなコストなのである。「表示」での改善が望ましい。

名称という情報だけではなく付加的にさまざまな情報を提示することで気がつく手がかりを増やしてあげる。入試のミスで受験番号の間違いをなくす対策として受験番号にアルファベット文字を付加するという対策を検討したが、付加的な情報を追加することは表示として気づきやすい手がかりになる。

●電子的なしくみをうまく活用

電子カルテは、「電子アシスタント」としての機能を活用することもできる。危険な薬は通常の薬と違う操作になるようにすると、エラー防止につながる。今回の処方ミスは、薬の名称から検索して、類似の名称の薬を間違って処方してしまったわけだが、名称が類似していても薬効は異なるわけで、思いもよらぬ薬を処方してしまうことになってしまう。そこで、名称ではなく薬効から検索をするようにすれば、少なくともまったく違った薬効のものを処方することはなくなるはずである。

この病院では、筋弛緩剤については、名称検索（3文字検索）からはずしてしまう対策をとった。薬効の検索からしか出ないようにした。そうすれば、名称を間違っても筋弛緩剤は出てこないので、大きな事故には至らない。さらに、処方の確定をする前に、確認を行わせるようなシステムにすることも考えられる。ただし、確認はスルーしてしまうことがあるため、毒薬の場合、1回のマウスクリックではなく、確認用の警告文字を表示させて、二重に入力を行ってはじめて処方されるようにした。

●電子カルテからはずす

電子カルテでは、入力ミスや選択ミスが生じてしまう。そこで、「サクシン」を電子カルテからはずし、手術室での紙伝票で処理を行うことにした。通常、筋弛緩剤は手術時など特別の場合にしか使用しないため、このような措置をとった。電子カルテから誤って「サクシン」を処方してしまうミスを排除することが目的である。

こうすることで人が行う手間がかかってしまうが、人を介することは、「人」という外的手がかりを使うことにつながる。

●薬剤部での危険な薬の確認

薬剤部での確認が不十分であったことも問題であった。そこで、この病院では、筋弛緩剤のような毒薬が処方された場合には、薬剤師が必ず医師に使用目的を確認したり、看護師に薬効を伝えたりすることなどを改善策として盛り込んだ。薬の確認という行動を徹底させようというねらいである。

薬剤師が確認をするということは、「人」という外的手がかりとして、薬の間違いに気づくのに役立つ。ただし、すべての薬に対してこのような改善策をとることは業務を圧迫してしまう可能性があるため、リスクの高い薬についてはこういった確認をさせるようにしたのであろう。

リスクに対して過小に評価しないようにするには、個々の人間だけで解決できるものではなく、職場などの組織全体で考えなければならない。

●医師の指示の共有の改善

医師が処方した薬が何であるのか、看護師には直接伝わっていなかった。ステロイドでということは処方前に話をしていたが具体的な薬の名称は伝えておらず、「サクシゾン」という薬を処方したことを医師が伝えておけば、看護師がPC上で処方薬を確認したときに、医師が意図した薬とは違った薬が処方されていることに気づいた可能性は考えられる。

そこで、防止策として、医師が患者の病態の変化に伴って臨時の指示を出す場合、その意図が解るように電子カルテに入力をするとともに、薬剤の使用目的、薬剤名、薬効、用法、用量を明確に看護師に伝えるようにした。看護師はそれを復唱し確認する。指示の情報を共有していれば、「人」という外的手がかりとして、処方ミスがあれば気づくことができる。

●勉強会・研修会の実施

今回の事故は、看護師に処方された「サクシン」に対する知識があったら、防ぐことができた可能性は高い。「人」という外的手がかりが、有効性は高いが知識やスキルがないと役に立たないことの一例である。

「サクシン」は主に手術室で使用される薬剤であるため、一般病棟で処方されることがなかった。当該看護師は手術室での勤務経験がなかったため、「サクシン」を扱ったことがなく、本件においてこの薬が筋弛緩剤であることを初めて知ったのである。

また、先に述べたように医師は「サクシゾン」が採用されていないことも知らされていなかった。そこで、勉強会や研修会を実施する対策が考えられている。薬剤部の主導によって全職員を対象に薬剤の取り扱いに関する定期的な勉強会、研修会を実施することにした。さらに、新規採用時には経験年数にかかわらず、医療安全・薬剤に関するオリエンテーションを実施することとした。知識をつけることはヒューマンエラーとは関係なく仕事をする上で必要なことであり、ヒューマンエラーの対策としてだけ特別にするようなことではない。職場が変わるとルールも違うことがあり、入職時のオリエンテーションとして実施することは重要である。

そして、これも何度も述べてきたが、知識を完璧にすることはできないため、さらに、知識がなくてもエラーが生じないような対策を考える必要がある。

●事例の情報共有

この事故で組織として問題になるのは医療安全に関する情報が共有されていなかったことである。過去に発生したヒューマンエラー、ヒヤリハット、事故等を共有し、それらを教訓として活かさなければならない。

「医療安全に関する情報」という言い方をしたが、実際には事故等の事例の情報である。医療の分野では事故情報といった言い方をせずに、過去の事例は医療安全のために役立つ情報であるため、医療安全情報というポジティブな言い方をすることがある。

まず、この病院で「サクシゾン」が採用されていないことが宿直医に伝わっていなかったことが問題であった。あるひとつの薬が採用されていないことをいちいち知らせる必要があるのかと思われるかもしれないが、これが医療安全にかかわることであれば、共有しておくべき情報だ。

この病院ではこの事故が発生する約6年前にサクシゾンの不採用を決めている。それは他の病院で「サクシン」と「サクシゾン」の間違いの事故が発生した事例があったことを受けてのものであった。このような重要な対策を行っていることは知らせる必要が当然あった。

この宿直医は、新人ではなく、他の病院で10年以上の勤務経験のある医師であり、薬の知識が不十分であったということではない。「サクシゾン」が採用されていないことを医師が知っていれば、当然この薬を処方することはなく、今回のような事故も発生しなかった。

さらに問題なのは、この病院において、今回の事故の約1年前にまったく同じ事案が発生していたことであった。3文字検索で「サクシゾン」のつもりで検索して出てきた「サクシン」を処方してしまったのである。このときは看護師が気づいて確認がなされて事なきを得た。このようなことが発生していたことが共有できていれば、今回の場合も誰かが気づいたはずである。

●医師の勤務体制の改善

この事故の場合、医師の忙しい勤務実態がエラーを引き起こした可能性は高い。病院として何もしていなかったわけではなく、以前から医師の増員や処遇改善に努めていたようである。患者さんにも、時間外での受診を遠慮いただくようにお願いしていた。

この事故が生じてから、さらに医師の確保、時間外選定療養費の徴収、医療クラーク（医師事務作業補助者）の採用、コメディカル（医師以外の医療従事者の総称）との業務分担の見直しなどを行っている。医師の業務負担を軽減することが重要で、医師を確保して数が増えれば1人当たりの業務量は軽減する。また、事務的な作業については医療クラークに任せたり、検査等もコメディカルの技師に分担してもらうことで負担軽減を行っている。

さらに、診療そのものの負荷を軽減することが必要で、この病院は大きな病院で入院設備もあり、時間外・救急対応も行っている。軽症であるにもかかわらず、時間外に患者が来られるのは業務負担になっている。そのため、最近はどこの病院でも時間外について、緊急性のない症状等で受診した場合には選定療養費を徴収するという対応を実施しているのである。

病院として考えられる対応は行っている。それでも医師は忙しいのである。勤務体制の改善は、具体的にどのようにすべきかは個々の職場の実態に応じて行う必要があるため、一般論的に述べるのは意味がないかもしれないが、業務負担を減らすことはヒューマンエラーの防止においては重要である。

●外的手がかりの改善

この事故が生じて、これまで述べてきたいろいろな対策が取られてきた。いずれも外的手がかりの改善につながるものであり、それらを表5にまとめた。その多くは「表示」の手がかりであるが、電子カルテを使うため、「電子アシスタント」としてのメリ

表5　取られた対策と外的手がかりとの関係

対策	外的手がかりとの関係
薬の名称の変更	「表示」の改善
視認性を良くするため、電子カルテ表示画面の文字を大きく	「表示」の改善
毒薬は、検索結果を赤色で表示し、注意を促す	「表示」の改善
毒薬と劇薬およびハイリスク薬に分類される薬剤は、検索表示で薬剤名の前に毒薬あるいは劇薬の表示、また薬剤名の後に、薬効が表示されるように	「表示」の改善
筋弛緩剤については、３文字検索からは除外し、薬効検索からのみ表示されるように変更	「電子アシスタント」の改善
毒薬は、処方確定にいたるまでに、電子カルテの画面上、一度のマウスクリックでは処方できず、確認用の警告文字を表示させ、二重に入力を行って初めて処方されるように	「電子アシスタント」の改善
電子カルテの注射オーダー薬剤リストから「サクシン」を削除し、手術室での紙伝票で処理を行うことのみとする	「人」を使うように
危険な薬は薬剤部から医師に使用目的を確認	「人」を使うように
医師の指示を看護師にも明確に伝える	「人」を使うように
勉強会等の実施	「人」の改善
事例の情報共有	外的手がかり利用の動機改善（後述）
医師の勤務体制の改善	外的手がかり利用の動機改善（後述）

ットをうまく活用することも対策としている。そして、今回、誰もエラーに気づかなかったということは、「人」としての外的手がかりが十分に機能しなかったことでもあり、それらも対策に含まれている。

そして、表中では最後の2つに外的手がかりの利用動機の改善というのを示している。外的手がかりを使う動因を高めることとなのだが、これは次の章の話となる。

第7章　外的手がかりは使いものになるのか

ここまで外的手がかりを紹介してきたが、手がかりがあっても確認を怠ってしまえば、役に立たないのは確かである。対象や表示のように、何か行為をしようとすると、必ず目にしたり気づかせられたりするものもあるが、文書、電子アシスタント、人などの場合は、外的手がかりを能動的に利用しなければならない。

利用しようという気持ちがないと、意味がない。実際に、せっかく外的手がかりが準備されていたにもかかわらず、それを利用しないことで問題が生じたケースがある。

照合せずに輸血をしてしまった【事例7】

輸血は、周知のとおり血液型を間違ってしまうと大変なことになってしまう。場合によっては受けた患者さんが死亡してしまうこともある。そのため、患者さんのリストバンドのバーコードと血液バッグのバーコードを読み込んで、血液型が合致しているかどうか照合する認証システムがある。外的手がかりとして考えると電子アシスタントである。

ところが、この認証システムがうまく使われなかった2つの事例を紹介する。これらの事例では幸いにも大きな問題には至らなかった。

【事例 7-1】[15]

担当看護師はその日は業務が立て込んでいた。患者Aさんは透析をしながら輸血を行っていた。途中で血液バッグの交換をしないといけないので、冷凍保存していたAさん用の血液バッグを冷凍庫から取り出して準備をした。ところが、このとき間違って他の患者さんのバッグを取り出してしまった。Aさんの血液はA型、間違って取り出したのはO型。

同じ時間帯には別の重症の患者さんが搬送されるなど忙しくて、確認しないまま、誤った血液バッグをそのまま解凍器にセットした。あらかじめバーコードによって輸血の認証を行おうとしたのだが、何度試してもエラーとなる。そうこうしているうちに急患の入院のサポート依頼があり、一時中断。

入院の手伝いを終えた後、患者Aさんの輸血がなくなっていたので、解凍器に入れて準備していた血液バッグに繋ぎ替えた。早く交換しないといけないと思い、このとき確認はしなかった。結果、異型輸血されてしまった。

認証のエラーは血液型が異なることを知らせる正しいアラームだった。警告は画面に表示されていたが、機械の故障だと思い込んでいたのだ。

幸い、患者さんには変化は見られなかった。その後、伝票処理をする際、血液型ごとに決められているシールの色が異なっていたことで、違う血液を輸血してしまったことに気づいた。

【事例 7‐2】 [16]

手術が終わった患者Bさん。術前に採血していた自分の血を輸血することになり、研修医のC医師が行うよう指示された。C医師は、看護師と血液バッグをダブルチェック後、部屋割りを表示したボードで患者さんの名前を見て、病室に持っていった。ところが、C医師が入ったのは、同姓の別の患者Dさんの病室だった。下の名前は違っていたのだが、2人の患者さんとも漢字一文字の名前でよく似ていた。

病室に入ったところで再確認すればよかった。ベッドサイドに患者認証システムの携帯情報端末を持って行ったのだが、なぜかそれで照合せずに輸血を始めてしまった。Bさんの血液はA型。間違って輸血されたDさんの血液はB型であった。滴下を確認したときに、たまたまうまく滴下できなかったため看護師に話をしたところ、別の患者さんに輸血していたことがわかった。

●外的手がかりが機能しなかった

この2つの事例ともに、外的手がかりがあったのにエラーに気づかせる役割を果たさなかった。最初の事例は血液型が異なっているとアラームが出ていたのだが、それを機器の故障だと勘違いしてしまった。

バーコード認証なので外的手がかりの種類としては電子アシスタントであるが、結果的には「表示」が理解できなかったことになる。

2つ目の事例は、別の患者さんを輸血すべき患者さんと思い込んだエラーであるが、確認すべきところを確認しなかった。せっかく患者認証の電子アシスタントがあったのに使わなかった。

ただし、2つの事例ともあとになって異型輸血だということに気づいたのだが、そのきっかけはいずれも外的手がかりであった。【事例7―1】は伝票に貼付してあるシールの色、つまり「表示」で気づいた。【事例7―2】は、看護師に話をしたということなので、「人」の手がかりにより気づいた。

外的手がかりは使ってもらえるか？――動機づけ理論――

ここで紹介した事例のように、せっかくの外的手がかりも使ってもらえないこともある。それでは、どのようなときに使ってもらえないのか。逆にどうすれば使ってもらえるのかを考える必要がある。

●行動コストを上回る効果が期待されるか

外的手がかりは、場合によってはそれを利用するという行動をわざわざしなければならない。その際、行動することに行動コストがかかる。この行動コストが高いと感じられると利用されない。

ただ、行動コストが高くても、その見返り、つまりエラーに気づく効果が高いと思われれば利用するだろう。人間は面倒だと思われる行動でも、その行動をすることで何かいいことがあれば、実行することにやぶさかではない。外的手がかりに関していえば、エラーを防げる、安全が保たれるという見返りが期待されると、外的手がかりを利用する確率が上がる。

●エラーに対する不安と慎重さを持てているか

利用するかどうかは、外的手がかり側だけの問題ではない。人間側の要因もある。自分の判断や行為に自信がないと外的手がかりに頼りたくなる。エラーをするのではないかという不安が高いと、説明書を読んだり、電子アシスタントで確認したりするであろう。

その不安は、もし間違ってしまったときに受ける被害がどの程度だと感じているかにもよる。被害が大きくなるのではないかという不安が高ければ外的手がかりで確認するであろう。

人の行動は誘因と動因で決まる

このように、外的手がかりが利用されるかどうかは、さまざまな要因が関与している。このあたりの話は心理学の動機づけ理論でうまく説明できる。わかりやすくするために、「食べる」という行動を例として話をしたい。

私たちが「食べる」という行動を行うのは、お腹が空いたときである。空腹が「食べる」という行動へと動かす。このように人の行動を動かす人間側の要因を動因という。ただ、空腹だからといって、すぐ食べられるわけではない。あたり前だが、食べ物がないと食べることができない。食べるという行動では食べ物側の要因もかなり重要である。まずい食べ物は食べたくないし美味しいものを食べたい。美味しいとかまずいといった食べ物側の要因も人の「食べる」行動を左右する。この食べ物側の要因を誘因という。食べるという行為を食べ物が誘い出すからである。

ここで動因（空腹）と誘因（食べ物）は、食べるという行動を引き起こす上で相補的な関係にある。お腹が空いていれば、あまり好きでない食べ物であっても食べようと思う。つまり、動因（空腹）が高いと誘因（食べ物）が低くても、誘因の低さを動因が補ってくれて食べるという行動を引き起こす。一方、好みの食べ物であれば、そんなにお腹が空いていなくても、食べてみようということになる。誘因（食べ物）が高いと動因（空腹）が低くても、動因の低さを誘因が補ってくれて食べるという行動を引き起こすのである。それを図4に模式的に示した。

もちろん、両方の要因とも高かったら、つまり空腹で好きな食べ物があれば、食べるであろう。逆に、両方の要因が低かったら、つまりお腹が空いていない上に好きでない食べ物を出されても、食べたりしないだろう。

●主観的確信、リスク認知の程度、ストレス因が動因に

外的手がかりの場合の動因は何かというと、主観的確信、リスク認知の程度、ストレス因の3つである。外的手がかりを使いたいと思うのは、主観的確信が低いとき、予測される被害度が高いとき、ストレス因がないときである。

主観的確信とは、自分が行おうとしている判断や行為に

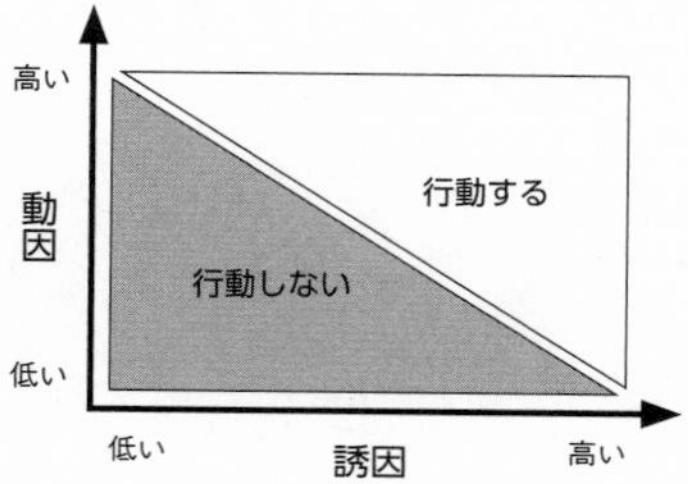

図4　動因と誘因の高低が行動に及ぼす影響の模式図

対して、それが正しいかどうか主観的にどう感じているかである。主観的確信が低いと、外的手がかりを利用したいと思う。

たとえば、機器を操作しようとして自信がないと、マニュアルで確認したり、誰かに尋ねてみようかと思う。これは主観的確信が低いときである。逆に自信がある、つまり主観的確信が高ければ、わざわざマニュアルを見たり、人に尋ねたりはしない。

【事例７－１】の場合、主観的確信は高かったわけではないだろう。認証システムで照合しようと試みているからである。一方、【事例７－２】の場合は、病室に血液バッグを持っていく前に看護師とダブルチェックをしているから、病室で患者さんを目の前にした段階では大丈夫だと思っており、主観的確信は高かったと考えられる。

リスク認知の程度とは、「もし間違ってしまったら」をどれだけ感じるか、である。どの程度の被害があると予測しているかのリスク認知が動因として影響を及ぼす。たとえば、機器の操作をしていて思うように動かないことがある。その時点で動かないという被害にあっているとも考えられるし、どうしようもない状態であるため、自分で考えるのではなく、外の手がかりに頼るとも考えられる。とくに、自分が間違った操作をして機械が壊れるのではないかと思ったときには外的手がかりを利用する。

【事例7―1】の場合は、異型輸血に対してのリスクは高く考えていたと思われるが、【事例7―2】は不慣れな研修医であったことを考えると、リスクの認識はそれほど高くなかったのかもしれない。

ストレス因というのは時間的切迫感や疲労である。時間があまりないと感じると手がかりを確認しようとしない。疲れている場合もわざわざ外的手がかりを確認しようとしない。【事例4】で試験監督者が答案チェックの際に、下2桁しか確認しなかったのは、時間的なプレッシャーがあったからであろう。【事例7―1】の場合は、途中で入院のサポートをするなど、多忙であり、ストレス因が高かったはずである。そのため、血液型認証のアラームを機器の故障だと思い込んでしまったのだろう。

●行動コストと有効性が誘因に

一方、誘因としては、外的手がかりを利用する行動コストが低いことと、エラー防止の有効性の高いことが要因となる。表示や対象であれば、行動コストはほとんどないに等しいが、他の手がかりは何らかの行動コストがかかってくる。有効性については、一般的には第5章の図3で示したようになるが、実際にそれぞれの外的手がかりがどれだけエラー防止に役立つかは、その手がかりがどう工夫されて作られているかによる。

電子アシスタントは利用の行動コストは必ずしも低くない。しかし、インタラクティブに作業をナビゲーションしてくれたり、間違った情報をチェックしてくれたりする。そのため、利用価値は非常に高い。【事例6】の対策に示したように、薬の間違いのチェックなどに有効である。このように有効性が高いものであると利用する。

【事例7―1】の場合、認証エラーを機器の故障だと思ってしまったわけだが、実際には血液型間違いの正しい警告を出していたわけで、有効性は高いと考えられる。

ただし、警告を機器の故障だと勘違いしたという点ではユーザビリティ（機器の使いやすさ・わかりやすさ）の問題があったと考えられる。この事例の場合、改善点としてリーダーの読み取りを調整して誤反応の確率を下げたことや、読み取りの速度も調整してわかりやすくなるようにしたという報告があり、有効性の点で改善の余地があったようである。また、マニュアルを作成し操作方法の再周知を行ったということである。

●行動コストを低く、有効性を高く

動機づけ理論の考え方にしたがうと、外的手がかりを利用させるには動因の観点からは主観的確信を低く、被害のリスクの程度の予測を高くし、ストレス因を低くするとよい。しかし、主観的確信はコントロールできない。むしろ、エラーではなく、それで正しいと思い込んでいるわけだから、対策は難しい。

被害のリスクの程度の予測も主観的なものであるため、コントロールは難しい。ただし、組織的に取り組むことによってある程度リスク認知を正しく矯正することはできる。組織として、リスクを過小に評価させないような取り組みが必要である。ストレス因も業務の体制や勤務体制を改善することで、ある程度はコントロールすることができる。【事例6】の対策で、過去の薬の間違い事例の情報共有という対策がとられたが、これはリスク認知を高めることにつながり、動因を高めることになっている。また、医師の勤務体制の改善は、ストレス因を低下させることにつながる。そうすれば、処方した薬の確認（手がかり「表示」）、看護師からの点滴速度の確認（手がかり「人」）などの場面で、動因が低下せず、外的手がかりを使うようになるであろう。

ただ一般的には、動因は人間側の要因であり、いずれも内的な要因であるため、外からコントロールすることは実際には難しい。

そのため、誘因側のコントロールが重要となる。外的手がかりの行動コストを低くし、有効性を高くするしかない。ヒューマンエラー防止の重要点として、人間側に改善を求めるには限界があるため、エラーに気づくようなしくみをいかに作るのかが大事になる。【事例４】の座る席を間違った受験生は、机上の受験番号も見ているだろうし、試験監督者の注意も聞いているはずだが、間違っていると思っていないので、外的手がかり（机上の受験番号という「表示」、試験監督者の注意喚起という「人」）は利用されているけれど、間違いに気づかなかった。

先に述べたようにスマホ受験票と机上のＱＲコードで確認できるのであれば、気づいただろう。薬の処方間違いの場合も、表示の工夫でどんな薬であるか気づきやすいような対策がとられた。患者の取り違えもリストバンドで確認することができていれば、行動コストもかからず有効性のある手がかりとなったはずである。

外的手がかりは何を防いでいるのか

人から間違いを指摘されたとしよう。間違いを指摘された、ということは、本人が正しいと思ってやったことが違っていたという時点で、すでにヒューマンエラーが生じており、防いだことにはなっていないのではないか。

確かにそうである。たとえば、受験生が間違って席に座って、それを試験監督者が指摘したとすると、正しい席に座り直すことはできたとしても、間違った席に座ったという事実が取り消されるわけではなく、すでにヒューマンエラーが起きていて、それを防止したことにはならないのではないかということである。

●防止策としては変わらない

ただし、外的手がかりの中には、行為をしようとする前に気づかされるものもある。そこを厳密に分けることは難しいだろう。そのため、エラーが生じても、それを後で指摘され修正をするというところまで含めてヒューマンエラーの防止という言い方をしてもいいのではないかとここでは考える。

たまたま一旦行為が生じてしまった時点で気づいたわけで、場合によっては行為が完了する前に気づいた人から指摘されることもある。その際の防止策をエラーの防止と事故に至らない防止とに分けるのはかえってややこしくなる。防止策として大きく異なるわけではないため、ひっくるめてヒューマンエラーの防止としたほうがわかりやすい。

この問題は、ヒューマンエラーをどうとらえるかで変わってくる。そこで、少しヒューマンエラーの定義に戻って考えたい。ヒューマンエラーは、期待を逸脱した判断や行為が期待を逸脱した結果をもたらしたものだとしたが、「期待の逸脱」をどうとらえるかで変わってくる。

たとえば、ケーブルを差し込むときに向きが逆で差し込めなかった。対象という外的手がかりが働いて間違いに気づいた。そこで向きを正しい方向にしてやり直した。このとき、ヒューマンエラーが生じたと言えるのか、である。

その作業を行った個人が期待の範囲をどうとらえるかによって違ってくる。逆向きだったら向きを変えてやれば入るようになるのだから、試行錯誤の一連の行為としてうまくできればよいと考える場合もある。そうすると、一旦逆向きに差そうとした行為は期待の範囲を逸脱しているわけではない。一発で入らないとだめではなく、差し直しも期待された範囲を逸脱していないと考えればヒューマンエラーとはとらえないだろう。

さらに結果についても、最初に差したときにうまく入らなかった場合、「入らない」という結果が期待を逸脱したと考えればヒューマンエラーかもしれない。しかし、そう考えない人もいる。試行錯誤の一連の行為の中であって、最終的に差し込めればよいと考えるのであれば、ヒューマンエラーはまだ生じていない。それでもかまわない。

行為をどうとらえるか——行為の制止、防護、修正

私たちの通常の行為は一分の隙も許されないわけではない。たとえば、この文章の原稿はパソコンで入力しているが、キーボードの押し間違いは頻繁に生じている。しかし、だからといって、いちいち「ミスをした」と思っているわけではない。ある程度の押し間違いは許容範囲に入っている。

しかし、同じキーの押し間違いであっても、「ファイルを削除していいですか?」というメッセージに対して、「いいえ(N)」と答えるべきところを「はい(Y)」と答えて、削除してはいけないファイルを削除してしまったときはヒューマンエラーだ。

つまり行為は、ひとつひとつのキー操作としてとらえられる場合と、文章の入力のようにあるひとまとまりとしてとらえられる場合がある。場面によって異なるし、その個人がどう考えるかによっても変わってくる。

定義を述べたときにも書いたが、期待の範囲は誰がそれを決めるかによって変わってくるため、ある行為が発生したときに、それがヒューマンエラーかそうでないかは立場によっても変わってくる。だから外的手がかりがヒューマンエラーの防止をしているの

かどうかを議論してもしかたがない。

ただ、外的手がかりが人間の行為に対して、どのように防止する形になっているのかは整理しておいたほうがよいだろう。

たとえば、ケーブルの接続において、端子が色分けされているとする。そして、赤の端子に接続しようとして、黄色のケーブルを手にしたとする。そのとき色が異なることに気づけば、正しい赤のケーブルに変え正しく接続でき、ヒューマンエラーが防止されたことになる。

今度は、端子の大きさが異なっていたとする。間違った端子に接続しようとすると、大きさが合わず接続ができなくてケーブルを間違ったことに気づくため、端子の大きさに合うケーブルを選び直す。これも、ヒューマンエラー防止につながったとされる。

また、色だけで区別されている場合、色の違いに気づかずに、間違って接続をしてしまったとする。でも、接続が終わった段階で色が異なっていることに気づき、正しい色のケーブルを接続し直せば、これもヒューマンエラーの防止につながったことになる。

ここで示した例は、人間の行為（ここではケーブルを端子に接続するという行為）に着目すると、その行為をする前、行為をしているとき、行為をし終わってからの異なった3つのタイミングのいずれかでヒューマンエラーが防止されている。

この3つのタイミングは、ヒューマンエラーがどの段階で防止されたかで区別し、行為をする前を「(行為の)制止」、行為をしているときを「(行為の)防護」、行為をし終わったときを「(行為の)修正」と呼ぶことにする。言い換えると、外的手がかりはこの3つの役割を持っていることになる。それを図5にまとめた。

●間違った行為の制止

赤の端子に接続するつもりで黄色のケーブルを手にした段階で気づいたのは、まだ接続という行為をする前であるから、これは行為の「制止」となる。行為を意図した段階で間違いに気づき行為に至らずに済んだということである。同様に、ボタンの操作を行おうとしたとき、このボタンを押せばよいと思って押そうとしたが、ボタンの表示を見ると、自分が欲している機能ではなかったと気がついた。これらは「表示」という手がかりによって間違った行為の制止ができたことになる。

ケーブルを差そうとしたが、どう見ても形状がまったく異なることに気づいてそのケーブルを差すのをやめた。これは「対象」という外的手がかりで行為が制止されている。

あるいは、ある操作をしようとしたが、自信がなくマニュアルを見たり人に尋ねたりすることがある。そして、自分が考えていた操作が間違っていることがわかった。その際は、「文書」や「人」に気づかされて制止されたことになる。

このように外的手がかりは、間違いの行為を思いとどまらせる機能がある。これを「制止」と呼ぶ。

●間違った行為の防護

ケーブルの向きを逆にして差そうとしたら入らなかった。これは間違った行為を行っているが完了はしておらず、間違いに至るのを「防護」してくれたことになる。「対象」という外的手がかりがその役割を果たしたことになる。

制止の場合はある行為を行おうという意図があって、その意図

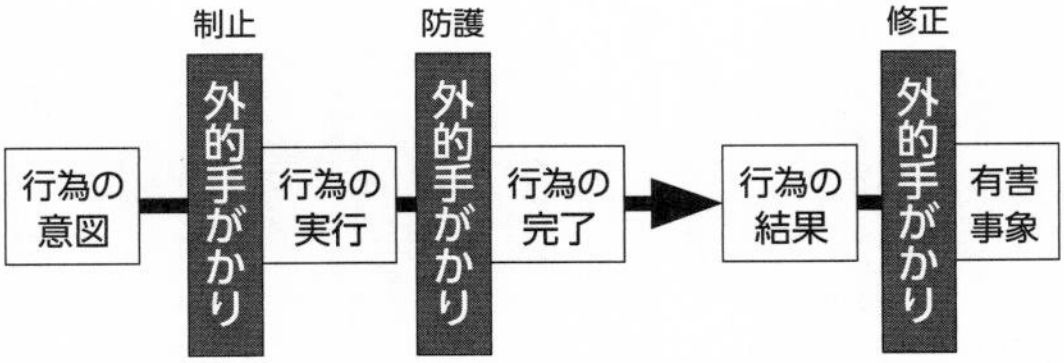

図５　外的手がかりの３つの役割——制止、防護、修正

の間違いを修正されたため、まだ行為に至っていない。そういう意味で「制止」という言い方をした。一方、「防護」はすでに行為を行っている。ただし、その行為が完了する前に防護され、ヒューマンエラーを防いでいることになる。

ある作業現場での話である。作業箇所となる2階に階段で昇っていこうとしているのに、2階を過ぎて3階への階段を昇り始めた。すると、あとから来ていた先輩から「3階じゃないよ。2階だよ」と注意された。これは「人」という手がかりに3階に行くという間違いを「防護」されたことになる。

飲食店では店員が注文の内容を繰り返すことがある。店員が受けた注文の内容が間違っていないかどうか、客（「人」という外的手がかり）に確認を求めているのである。このときに間違いに気づけば、まだ厨房にオーダーが通っていない段階であるので、「防護」ができたと考えられる。

ファイルの保存前に、ウィンドウを最小化するつもりでクリックしたら、閉じるボタンをクリックしてしまった。「保存せずに終了していいですか？」とメッセージが出て、慌てて「いいえ（N）」を押して事なきを得た。これは「電子アシスタント」という手がかりによって「防護」されたことになる。

外的手がかりとして「防護」の機能を持たせることができるのは基本的には、対象、電子アシスタント、人であろう。表示や文書は、それらにどのタイミングで気づくかによるだろう。行為自体の持続時間が長いときに途中で気づくということは考えられる。たとえば、作業箇所の階数間違いも、3階への階段を昇りながら、作業手順書を見ていたら、階数が2階であることに気づいたり、階段の途中の壁面の階数表示を見て気づいたりということも考えられる。そうすると、これらは文書や表示によって3階まで昇ってしまうというエラーに気づき「防護」できたとも考えられる。

ただし、ケーブルがうまく差せなかったこと、間違って注文を聞いてしまっていたこと、3階への階段を昇り始めたこと、これらが期待された範囲を逸脱したと考えてしまえば、すでにヒューマンエラーが生じていると考えられないことはない。そうすると防護されたことにならない。どこまでを一連の行為としてとらえるかによって、防護されたととらえるのか、次に述べる修正なのかが変わってくる。

●間違った行為の修正

ある操作をしたが、思い通りの結果が得られなかったので、マニュアルを見たり人に尋ねたりすることがある。そこでその操作が間違いだったことに気づき正しい操作をし直した場合は、「文書」や「人」という手がかりによって、行為が「修正」されたことになる。

行為をしてしまったあとに間違いに気づくことがある。色の異なるケーブルを接続してしまったことに気づいてつなぎ直したというのは、「表示」という外的手がかりで気づき、行為の「修正」をしたことになる。端子の大きさで区別されていた場合、接続しようとしたがうまくできなかった場合は、「対象」の外的手がかりだが、「防護」になる。ただし、大は小を兼ねるで、ガバガバだが差し込めないことはなく、差し込んでしまって、きちんと接続できていないことに気づけば「修正」したことになる。

このあたりの話も、どこまでを一連の行為としてみるかによって、「防護」になるか「修正」になるかは変わってくる。

●防止策を考える枠組みに

外的手がかりの3つの役割を述べてきたが、必ずしも種類によって固有の役割があるわけではない。どのタイミングで外的手がかりを利用するかによってどの役割を果たせるのかが変わってくる。さらに、そのタイミングは、行為をどの範囲で考えるかによって変わってくる。試行錯誤の一連の行為をひとつの行為としてとらえるのか、ひとつひとつを行為として個々に考えるかによって異なる。

エラー防止策として考える場合、一旦エラーが生じてしまえば取り返しのつかないようなケースは、制止や防護で考えるしかなく、行為の完了後でもよいのであれば修正を考えてもよい。

制止・防護・修正という3つの役割は、厳密に区別する必要はなく、エラー防止策を考える枠組みとして、３つの役割を基準に考えればよい。たとえば、【事例４】の入試において間違った席に座ることを防止する場合、「制止」としては、受験番号にチェックディジットを設け気づきやすくすることが考えられた。ただし、座った後に受験番号を見て間違いに気づき、それが試験開始前であれば、「防護」とも考えられる。

しかし、一旦座った段階で行為が完了しているのだから、「防護」ではなく「修正」だとも考えられる。そうすると「防護」なのか「修正」なのかはっきりしなくなる。

また、仮に間違った席で受験しても、受験番号を正しく書いてあって、かつ氏名の情報があれば、受験生を特定できて、間違った合否判定には至らない。つまりここで「修正」を働かせたことにもなる。「修正」というのはこのような場合を指し、試験前に気づいた場合は、「修正」ではなく、「防護」だとも考えられる。

このように考えていくと、役割の区別は考え方次第である。結果としてエラーの防止につながればよいので、3つの役割を枠組みとしてとらえ、「行為をする前に気づけないか（制止）？」、「行為をしようとしたときに防護できないか？」、「やってしまった後で対処できないか（修正）？」を考えることに意味があろう。

外的手がかりだけでヒューマンエラーは防ぐことができるのか

外的手がかりについてずっと述べてきたが、それだけでエラーを防ぐことができるのだろうか。厳密にいってしまえば、外的手がかりだけでヒューマンエラーを防ぐことはできないだろう。そこで、ほかの対策も考える必要がある。

●業務体制の改善

ヒューマンエラーが生じる場面は、業務が集中していたり、人手不足であったりすることが多い。患者取り違え事故の場合がまさにそうであった。時間的な余裕がないことがエラーを招く。薬の処方ミスの事例も宿直医が多忙であったことが背景要因としてあった。もっと余裕があれば防げたヒューマンエラーは数多いはずである。エラーに気づかせることも重要だが、業務体制を改善することも非常に重要である。

●エラーの種類に応じた対策も必要

ヒューマンエラーといっても、いくつかに分類ができる。その分類については紙幅の都合で割愛するが、その中でも勘違いとかうっかりといったエラーに対しては外的手がかりは有効に働く。エラーの種類によっては、また違う対策のほうが有効なこともある。ただし、いくつかの事例で示したように、事故に至るときは、複数のヒューマンエラーが生じている。そして、事故を防ぐにはその中のひとつでも阻止できればよいのである。そこでは外的手がかりが有効に働くことが必ずある。

●人間にさせない

ヒューマンエラーを防ぐには、とにもかくにも人間に行動させないことである。極端な言い方のように思えるかもしれないが、重要な視点だ。機械化してしまったほうがよい場合もある。機械のほうが正確に速く処理してくれる。

さらに、人間が行っている作業を見直し、その作業が本当に必要なのかどうかを考える。無駄な作業を行っていることもある。たとえば、ある作業を複数の人で行うと、その作業に関わっている人同士でのコミュニケーションが必要になる。しかし、そのコミュニケーションでミスが起こってしまうこともある。そのような場合は、作業を1人で完結させるなどの工夫をすれば、コミュニケーションによるヒューマンエラーがなくなる。

●意識改革や安全文化の醸成

ヒューマンエラーの防止には表面的な対策だけではなく、ヒューマンエラーやリスクに対してどのような意識を持つのかが重要である。外的手がかりだけを設ければそれで解決する問題でもないし、組織での安全に対する意識が十分に醸成されていないと外的手がかりを工夫しようという意識も出てこないだろう。

外的手がかりの動機づけの動因としてリスク認知の話をしたが、リスク認知を高めることが外的手がかりの利用につながる。それを個人だけの問題としてとらえるのではなく、組織的に取り組む必要がある。

●ヒューマンエラーを教訓に活かす

ヒューマンエラーを起こしたからといって即、事故につながるわけではない。多くの場合、「ひやり」としたり、「はっ！」としたりする体験で済んでいる。このヒヤリハットが起こった時点で「事故にならずに済んだ」で終わらせるのではなく、それを教訓として活かすことが必要である。

業務体制の改善や外的手がかりの工夫につなげることができればよい。そして、そのような取り組みを行うことが安全に対する意識を高めることにつながる。

第8章　IT、DX、AIはヒューマンエラーを防止するのか

人は進化していない

私たちの生活は便利になった。交通手段が発達し、さらにネットワークが張り巡らされ、経済活動も日常の生活もグローバル化してきた。100年前と比べると、私たちの活動は様変わりしてしまった。

一方、人間という生物は社会や技術の変化に比べると、ほとんど変化をしていない。人類の誕生が約700万年前と言われているが、人間の基本的な特性には大きな進化の変化があるわけではなかっただろう。狩猟採集の生活が長かった人間にとっては、現代のように、細かいミスをしてはいけないような作業は求められていなかった[17]。それよりも自然環境の脅威の中でいかに柔軟に対応していくかのほうが、優先度は高かったはずである。そのように人間は適応してきた。

●社会や技術は大きく進化した

おそらく、人間の細かいミスが甚大な被害をもたらすようになったのは、人類の長い歴史の中では、ごく最近のことにすぎない。文明の発達により、人間が大きなエネルギーを操作したり、大量の情報を扱ったりすることができるようになったからである。機械、輸送手段、薬など、人間の簡単な操作で莫大なエネルギーをコントロールすることができるようになり、そこで生じたミスが飛行機や列車を含む交通事故、医療事故など、大きな被害をもたらしてしまう。

また、制度や情報などが細かく管理され、それらが人の行動や財産などをコントロールし、手続きミスによる損害、誤操作による情報の流出・消失などが発生しかねない世の中となってしまった。

しかし、人間はこうした急激な変化に対応する術はもっていない。狩猟採集生活の長い歴史の中で適応してきた人間の基本特性が変わっていないからである。

●IT、DX、AIによるさらなる進化

18世紀の産業革命は人間の生活や社会に大きな変化をもたらした。そして、それ以降のさまざまな技術の進展が私たちの生活スタイルを変え、仕事の内容も変わってきた。これまで人間が行っていた仕事の中には、機械に置き換わっていったものも少なくない。それは、機械のほうが効率的で間違いをしないからである。人間が行えば必ずヒューマンエラーを起こしてしまうなら、機械に任せたほうがよい。そのため、これまでに人間の仕事の数々が奪われていったとも言える。

そして、ITやDXの進展による情報化は、単に産業革命の延長線上にあるのではなく、質的に大きな変化をもたらしている。さらに人工知能が実用的に利用されるようになると、特定の仕事だけが機械化されるということではなく、ドラスティックに人間の仕事や役割が変わってしまう可能性を秘めている。

機械は、人間のある特定の機能が外化されたものにすぎなかった。車や飛行機は人間の歩くという機能が外化したものであり、さまざまな工作機械は人間の手足の動きが外化したものである。そして、コンピュータは脳が外化したものと言われていたが、AIやロボットは人間そのものが外化されてしまうような存在であり、さまざまな場面で人

間に代わって仕事をするようになるかもしれない。
では、もっと人間が関わらなくなれば、ヒューマンエラーは今よりも減るのだろうか。

人を介さないことでエラーがなくなる

ヒューマンエラーをなくす究極の方策は先にも述べたが、人間が何もしないことである。もっとも、それは現実的ではない。ただし、人を介さないことでヒューマンエラーは低減する。とくに人と人とのやりとりをなくすことである。現在、実現している技術を見てみよう。

●ネットでのオーダー

Amazonに代表されるように、今や実店舗に行かずにネットで注文してどんなものでも購入することが日常になっている。人と人とのやりとりをせずに注文が済んでしまう。ＩＴ化されると、電話や対面での口頭のやりとりでのミス、手書きによる書き間違いや読み間違いなどがなくなる。

モノの注文の場合、ＩＴによってシステム化してしまえば、客が最初のオーダーの入力さえ間違えなければ、途中に人が介することなく、メーカーあるいは物流業者に正しくオーダーが届けられることになる。物流も自動化されていて、自動的に倉庫からオーダー品がピックアップされるというしくみも可能であり、最後にはじめて人間が最終チェックをして梱包し配送することになる。

さらに、さまざまな手続きもオンラインで可能となっている。モノの注文でない場合は、一切人が介することなく完了させてしまうことができる。銀行などのようにお金の入出金をするような場合は、インターネットバンキングによってすでに実現している。また、航空券や電車の切符、コンサートやイベントなどのチケットもネットで購入し、QRコードがスマホに送られれば、紙の切符やチケットも必要がない。

途中でいろいろな人が関わると、そのプロセスの途中でヒューマンエラーが生じてしまうが、このように人が介在しなくなるとヒューマンエラーは低減される。

●自ら端末でオーダー

対面の場合はどうしてもヒューマンエラーが起きてしまう。飲食店で食事の注文をしたときに、間違ったモノが出てきたことはないだろうか。客が口頭でフロアスタッフに注文したときに、注文がうまく通っていないことがある。ところが、最近はタブレット端末が各テーブルに置いてあったり、スマホでＱＲコードを読み込んだりすることで、食事注文のアプリが起動し、客自身でオーダーできる。これだとフロアスタッフを介さずにオーダーできる。

そして支払いもセルフレジで各テーブルのＱＲコードをかざして人を介さずに済ませることが可能になっている。人間同士のやりとりの場合、コミュニケーション・エラーが発生する可能性があるが、そのようなエラーはなくなる。

ファストフード店でも、店に設置してある端末で注文をしたり、自分のスマホでモバイルオーダーによって注文をするようになっており、店員は注文された品物を渡すだけで、客からの注文を直接受けないようになっている。使い方がわからない客がいても、口頭での注文を受けるのではなく、端末に誘導して、端末で操作をしてあげる。そうすることがオーダーのミスを防ぐことになる。

フロアスタッフの仕事は、注文を受けた食べ物を運ぶだけになっている。運ぶこともいずれロボットに任せられれば、人間はいらなくなる。回転寿司などで注文した寿司を自動的に届けるようなシステムを構築しているところもあり、人手がいらなくなっている。無人化は夢ではなくなりつつある。

電子アシスタントによるエラーに気づかせるしくみ

人を介さないことでヒューマンエラーが低減できるが、最初の入力の段階でエラーが生じてしまう可能性は残っている。そのため、入力に間違いがないかをチェックし、間違っていれば気づかせるしくみが必要となる。

電子アシスタントの場合、エラーをチェックするというのは、機械的なチェックであれば簡単にできる。たとえばメールアドレスを入力する場合、ドメイン名の前に「@」がつくことになるため、「@」が含まれていなければメールアドレスとして認識されず、間違いであると指摘できる。

郵便番号、電話番号などもある程度はチェックできる。桁数が多いとか少ないとか、数字以外のものが含まれていると明らかに間違いだとわかる。その間違いをどのように指摘するかも重要である。

ユーザビリティ（使いやすさ）の第一人者と言われるニールセンは、10の原則を提案しており[18]、この中でエラーに関することにも触れているのが「エラーメッセージを具体的に」というものである。

ネットでなんらかの手続きをする際、入力ミスが生じた場合、「正しく入力されていません」といったエラーメッセージが示されることがある。どの項目がどのように間違っているのか具体的に指摘をしてもらわないと外的手がかりとしては有用性が低い。

よくあるのが、ログイン時の「ＩＤかパスワードが間違っています」というメッセージである。セキュリティ上の問題でどちらが間違っているかを明示的に示せないのであろうが、ユーザからすると、ＩＤが間違っているのか、あるいは、ＩＤは存在しているがパスワードが違うのかを知りたいはずである。

また、パスワードを設定する場合、パスワードの文字列には、いくつかの条件が決められている。8文字以上、大文字と小文字、数字を含める、記号を含めるといったことである。ユーザが入力したパスワードの文字列がこれらの条件を満たしていない場合、警告を出すことになる。その際、ただ「パスワードが適切ではありません」といったメッセージではなく、「大文字が含まれていません」や「8文字以上ではありません」というふうに具体的に何が問題なのかを教えてあげる必要がある。

先にも述べたが、家電製品などでエラーを記号だけで示したり、音のパターンで示したりしただけではどんな間違いなのかわからない。電子アシスタントであれば、具体的に何が間違っているのかを的確に示すように設計することが可能なはずである。

●電子アシスタントがどこまで考えられるか

機械的なチェックでなくても、常識的に考えて不自然な場合に気づかせるようにすることもできる。たとえば、注文の数量が多い場合、発注者に警告を出すようなことは可能である。注文の数量を一桁間違い、10のところを100としてしまったとする。常識的に考えて多すぎるので警告を出すことができる。

しかし、その数量が多いか少ないかはモノによって異なる。たとえば、パソコンを5台注文した場合、個人では多すぎるが会社だと十分にあり得る。数は品物によって常識的な範囲が異なる。ボールペンを10本といった場合、個人でも購入する可能性はある。誰がどのようなモノを注文するかによって常識的な数量かどうかが異なる。それを一律に、ある数量以上は警告を出すようなことをすると、わずらわしくなるし、その数量チェックでは引っかからないエラーも出てくる。

実はこの「常識的に考える」というのは機械は苦手である。人工知能を利用すればある程度「常識的に考えた場合」に近づけることができるが、人間のように細かく配慮することは難しい。人間ならばいろいろなことを想定して、間違いではないかどうかをチェックしてくれる。

私の経験だが、スマホオーダーのホルモン居酒屋にひとりで行ったとき、ミックスホルモンを頼んだ。そのホルモンが出てくる前に、メニューを見ていると焼きモヤシというのがあったので、それを追加で注文した。しばらくすると店員さんが、「ミックスホルモンにもモヤシが入っていますけど、焼きモヤシも注文いいですか？」と尋ねてくれた。ミックスホルモンにモヤシが入っていたのは知らなかったが、野菜をたくさん食べたかったので、それでかまわなかった。

こういう細やかな判断ができるのは人間でしかない。ただし、これも、複数の客であればそのような注文もおかしくないと考えられ、ひとり客であるから、尋ねてみてくれたのだろう。何気なくやっていることであっても、人間はいろいろな情報から的確な判断をすることができている。

電子アシスタントでこのような場合のチェックまでできるだろうか。ＡＩで過去の注文のビッグデータを活用して対応できないことはないが、よけいなおせっかいになりそうな気がする。

エラーに気づきやすいインタフェースが可能か

電子アシスタントでエラーに気づかせるには限界がある。人間の意図と実際の入力内容に相違があったとしても、電子アシスタントではその違いに気づくことは難しい。それに気づくのはやはり人間でしかない。その点を改善するには、電子アシスタントの設計を人間と機器が関わるインタフェースにおいて、「人間」がエラーに気づきやすいようにするしかない。その際のポイントを考えてみよう。

●確認で気づかせる

注文や手続きをした場合、間違いがないかどうかチェックするために、確定する前に確認画面を表示させることは一般的になっている。ここで、自分の意図通りに入力されているかどうかを確認すればよい。

先に述べたように機械的なチェックによって、ある程度入力の間違いを指摘するような設計は可能である。

ただし、意図通りの入力内容かどうかは、人がちゃんと確認しなければならない。この確認画面は外的手がかりになるが、外的手がかりの利用は、大丈夫だという主観的確信が高いと利用されなくなるため、せっかくの確認タイミングでもエラーに気づかなくなる。

●カテゴリー項目等の「表示」を的確に

確認の以前に、注文したい商品がサイト内メニュー等のどこにあるかわからないことがある。カテゴリー分類されていて、その中から選択をしたり、文字列を入力して検索したりして探すことになるが、目的のものが見つからない場合がある。

飲食店で端末から注文するとき、自分が注文したいものがどのカテゴリーのメニューに属するのかがわからないことがある。外的手がかりで考えるとカテゴリーの項目名は「表示」となるわけだが、その項目名は表示スペースの制約もあるため簡潔に表現されている。それが的確でないと、どこに含まれているのかがわからない。たとえば、「アラカルト」とか「一品料理」といった名称は、カテゴリー分けするほうは都合のよい名称だが、利用する側は、全体のメニュー構造がどうなっているのか、それらに何が含まれているのかわからない。

このようなことは、オンラインショッピングサイトで品物を注文しようとしているときや、ウェブサイトで情報を閲覧しているときにも生じる。自分の求める内容がどのページに含まれているのか探していく必要があるが、そのメニュー項目が的確に表示されていないこともあるし、一般の利用者が考えているものと違う項目名になっていることも少なくない。

●紙では一覧できるのに……

一方、飲食店の紙のメニューの場合は見つけやすいと感じる。パラパラとめくってみることができ、そして一瞥してページ全体を見ることもでき、一覧性が高いからだ。ところが、端末で見る場合、とくにスマホであると一度に見ることができる情報の数が限られてしまう。そのため、カテゴリー分けがなされていて、そこから探すことを強いられるが、目的のものがどこに属するのかわからないことがある。

紙のメニューの場合もカテゴリーに分けてあるが、実際は、カテゴリーで探しているのではなく各項目を一度で見ることができるので、あまりカテゴリーは見ていないことが多い。たとえば、ウーロン茶が飲みたいと思ったとき、パラパラとめくっていき、ジュースとかコーラとかが並んでいると、そこのページだろうと見当がつく。それがソフトドリンクというカテゴリー名であるとかノンアルコールという名称であるとかは意識していないこともある。

残念ながらＰＣやスマホの画面では、このような探し方ができず、カテゴリー名が頼りになってしまう。

●階層構造の現在地をわかりやすく「表示」

ホームページを閲覧したり、オンラインショップのメニューから商品を探したりしていると、自分がどのページにいるのかがわからなくなることがある。とくに階層的な構造になっていると、迷子になってしまいやすい。

そのため、自分の位置が今どこなのかをわかりやすく「表示」させる必要がある。ウェブサイトなどの場合、「パンくずリスト」によって階層のどこにいるのかを示す工夫がなされている。パンくずリストというのは、「トップ＞ドリンク＞ソフトドリンク＞ジュース類」といったように、階層構造の上から順番に道しるべのパンくずを並べるように表示するやり方である。この例だと今、「ジュース類」のところにいることがわかる。そして、それがどのような階層のどこに位置しているかもわかる。ここで、アルコールのメニューを見たい場合、「ドリンク」の中に「ソフトドリンク」や「アルコール」といった下位項目があることが推測できるため、このパンくずリストの「ドリンク」をクリックすると、下位項目が表示されることになる。

●出口をわかりやすく

迷子になって最初のトップページに戻りたいとか、いろいろな手続きをしていてキャンセルしたいとかいったことが生じる。このとき、どうすれば、トップに戻れるのか、キャンセルできるのかがすぐわかるようにしておく必要がある。

これは広く言えば、出口をわかりやすくするということになる。先のニールセンのユーザビリティ10の原則の中にも、出口をわかりやすくすることが挙がっている。

出口を見つけやすくするやり方はいろいろな工夫が必要である。どこに出たいかが場面によって異なるからである。たとえば、先ほどのパンくずリストもそのひとつである。また、画面のトップに戻るというのも出口のひとつである。通常画面の一番上にメニュー項目を備えてあることが多く、それが表示されるようになると出口が見える。そのため、「トップに戻る」というアイコンなどが常に画面上に表示されるような工夫がなされている。

ウェブページなどの場合、最近は「ハンバーガーメニュー」（水平の三本線からなるアイコンで、上下２枚のバンズの真ん中にパテが挟まれているイメージに似ているので、こう言われる）を備えていることが多く、これが画面の上部に常に表示される設計がなされており、ここをクリックすることでメニューが表示される。

テレビなどのリモコンは録画機能などさまざまな機能がついており、メニュー項目から選んでいくことになるが、迷子になることもある。そこで「戻る」というボタンや「元の画面」というボタンが準備されているものも多い。

●モードに気づきやすく

モードというのは、たとえば、文字入力をする場合に半角モードと全角モードがあるような場合である。今、どのモードなのかわからなくなってしまうことがある。間違ったモードのまま実行してしまうことをモードエラーという。

医療の場面で輸液ポンプという機器を使うことがある。これは点滴をするのに自然の重力で落とすのではなく、一定の速度で決められた量を点滴する場合に使う。そのため、輸液ポンプではその速度（時間あたりの流量）を設定しなければならない。通常はそれだけではなく、予定量（全部でどれだけの量点滴するのか）も設定する。たとえば、100mL／hの速度で、予定量200mLで点滴を行うとすると、2時間かけて200mL点滴することになる。この流量（速度）と予定量を設定する際に、機器によって異なるが、速度か、予定量かのモードを切り替えて設定を行う場合がある。どちらのモードであるか確かめないで設定してしまうと、たとえば流量200mL／hで予定量100mLと設定してしまう間違いが生じる。これはありえない設定なので、機器のほうがアラームを出してくれる。しかし、モードエラーに加えて入力ミス、たとえば、予定量を1000mLとしてしまうと（小数以下を表示する機器もあり、小数点の位置を勘違いしてしまうことがある）、機器のほうはアラームを出してくれず、1時間あたり200mLという大量の薬を注入してしまうことになりかねない。

モードエラーの大きな事故として、ある航空機事故が知られている[19]。1992年1月のことであった。フランスの山中に航空機が墜落し、87名の方が亡くなってしまった。

この航空機はコンピュータ制御がなされていて、着陸時に降下角度や降下率（1分あたりの降下高度）を入力することで着陸の制御ができるようになっていた。

降下角度で入力するのか、降下率で入力するのか、はモードを切り替える必要があった。どのモードであるかはパネル上で、降下角は「ＦＰＡ」(flight path angle)、降下率は「Ｖ／Ｓ」(vertical speed) という表示があるだけで、その表示で確認するしかなかった。

パイロットは、降下角のモードになっていると思って、ダイアルを回して数値を設定した。３・３という数値で、これは降下角３・３度を意図していた。画面表示は「-3.3」となるはずであった。しかし、実はこのとき降下率のモードになっていた。そのため、画面表示は「-33」となっていた。小数点があるかないかの違いなので、正しく設定できたと思ったのだろう。ところが、これは降下率で毎分３３００フィートの降下を意味する。10の位と1の位が省略される表示になっていたため、モードが間違っていることに気づかなかった。本来意図していた降下角度３・３度は、降下率に換算するとおよそ８００フィートとなるので、意図したものより4倍以上もの急降下となってしまったのである。

今、自分がどのモードにいるのかわからなくなってしまう場合を想定して、モードがはっきりとわかるよう、機器のほうから気づかせることができるとよい。表示に頼ることになるが、表示を文字だけに頼ると見過ごされてしまう。そのため、複数の手がかりを設けるのがよい。

たとえば、色が使える場合はモードが変わることで色を変えることもできる。さらに、この航空機事故のケースも、モードそのものの表示ではなく、数値の表示を省略せずに、「-3,300ft/min」といった表示になっていれば、モードを間違っていたことに気づいたはずである。

●入力支援の功罪

飲食店でのオーダーの場合はメニュー項目から選ぶだけなのだが、ネットで手続きをする場合などは、文字を直接入力しなければならないことが多い。そのような場合は、キーをタイプしていく手間もかかるし、タイプミスなどが起きやすい。そのため、スマホなどには予測入力機能が備わっており、入力の履歴から予測して候補の文字列が表示され、そこから選ぶと手間も省けるし、間違いが少なくなる。

ただし、いつも同じ文字列や文章を入力するわけではなく、かえってわずらわしく感じたり、間違って候補を選択してしまったりすることもある。

先に紹介した【事例6】の薬の処方ミスの場合は、「さくし」と3文字入力すると、候補の薬が「サクシン」、「サクシゾン」……と表示され、その中から選べばよいシステムであった。本来処方したかったのは「サクシゾン」であったが、候補として表示されたのが「サクシン」だけであった。医師は、「サクシゾン」をオーダーするつもりでいたので、ひとつだけ表示された薬がサクシゾンだと思い込んでしまった。そして、本来処方すべきサクシゾンではなく筋弛緩剤のサクシンが処方されてしまった。

この事例では結果的にこの薬自体を電子カルテからはずした。入力支援の「罪」のほうが表面化してしまったからだ。

私たちもプルダウンメニューの項目から選ぶ場合に異なった項目を間違って選んでしまうことがある。入力の手間を省くようなしくみであるが、最終的には人間がどの文字列かを選ばなければならない。間違って選択をしてしまうエラーは必ず生じる。

●IT化、DXで新たな工夫が必要

デジタル化された社会では、仕事などが情報の操作だけで完結してしまうことが少なくない。そこでは機器相手の操作だけとなり、機器とのインタフェースの問題が出てくる。多くは画面上に出てくる情報とのやりとりであり、現実のリアルな世界のような「モノ」が物理的実体としては存在しない。そのため外的手がかりとしての「対象」が存在しない。もちろん、疑似的には画面上の表示によって対象の存在を実現しているが、それは所詮「表示」でしかない。

「対象」に頼ることができないため、外的手がかりとしては「電子アシスタント」になるが、その中での「表示」をいかにうまく行うかが重要な鍵となる。

ネットワーク上の外的手がかり

人間が作業・行為をする際、間違いに気がつかせるための外的手がかりとして、対象、表示、文書、電子アシスタント、人という5つの手がかりを紹介してきたが、ネットワーク上でも同様の考え方ができるのだろうか。

●検索エンジンという外的手がかり

私たちは何かわからないことがあったときに、検索エンジンで調べることが多くなってきた。たとえば、パソコンやスマホの操作をしていてトラブルが生じたり、わからないことがあったときに、検索によって調べる。これは外的手がかりで考えると、形式的には文書に相当するが、知りたいことを他者に尋ねることに似ている。おそらく実際に検索エンジンを使っている人にとっては、膨大な文書の中から自分が調べたいことを検索しているというよりも、「Googleさんに尋ねている」といった気持ちではないだろうか。

●ChatGPTという外的手がかり

さらに、ChatGPTに代表されるようなＡＩによるチャットボットで尋ねることもできる。会話をするような形で質問することができるため、内容によっては知りたいことを的確に教えてくれる。

検索エンジンの場合、どのようなキーワードを入力するかを考えなければならないが、ChatGPTであれば、自然な表現で知りたいことを尋ねることができる。もちろん、うまく知りたいことを引き出すための表現の工夫が必要であるが、それは人間相手の対話の場合も同様である。特別にChatGPTとのやりとりが難しいわけではない。

ただし、オールマイティではなく、不得意なものもあるため、試してみて使えると思った場面で利用すればよく、うまく使えば有用な外的手がかりになりえる。

●ネット上から文書を調べる

家電製品はマニュアルが添付されている。何かわからないことがあったときに、マニュアルを参照するのは、外的手がかりとしての「文書」だった。しかし、マニュアルをどこに置いたのか探す行動のコストがかかるし、さらに該当のページを探す手間もかかる。これが外的手がかりを利用したくなくなる要因となる。

しかし、今やマニュアルも各メーカーがネット上に掲載していることが多い。ここでも検索エンジンを使って検索をすれば自分が持っている製品のマニュアルをPDFデータなどで閲覧できる。しかも、PDFのしおり機能を使っていれば、目次のところをクリックすると簡単に当該のページに飛ぶことができる。

●掲示板やSNSで尋ねる

検索エンジンやメーカーのサイトのマニュアルも相手はネットワーク上の情報である。同じネットワーク・システムで言えば、わからないことがあったら掲示板やＳＮＳなどを利用して、人間に対して尋ねることができる。掲示板やＳＮＳを見ている人が多いため、質問に対する回答にそれほど時間がかからないことが多い。

ところが、これを利用した大学入試のカンニングも発生してしまった。２０１１年、いくつかの大学で試験時間中に問題が流出した事件が起きた。受験生がスマホで問題を入力して「Yahoo!知恵袋」に投稿し、その問題を解答してくれるように依頼したのである。

このケースのような使い方は悪質だが、わからないまま行動してヒューマンエラーを起こしてしまう前に、掲示板・ＳＮＳを介して不特定多数の人に手助けを求めるのは、「人」という外的手がかりを利用していることになる。

外的手がかりの「人」は、場面によっては知識や経験を持った人でないと、有用性はない。そのため、仕事の場面などでそのような人員配置が難しいことがあると先に書いた。

ところが、ネットワーク上には大勢の人がいるため、自分がわからないと思っていることについて、知識や経験を持った人が必ず存在している。そして、掲示板等で尋ねたことに対して、ボランティアとして回答を寄せてくれる人がいる。

その意味では、人員配置というコストをかけずに利用できる外的手がかりである。

人間をどう活かすか

私たちの仕事の多くが機械化され、今では実にさまざまなことを機械がやってくれる。仕事の内容によっては機械のほうが正確で、スピードも速く、人間が行うよりも圧倒的に効率的だ。

しかし、人間が間違いをするからといって、そのことで機械よりも劣っているわけではない。間違いをするということは、人間が柔軟に対応できることを意味している。そして、新しいことを創造したり、新しいモノを作り出したりできる素晴らしい能力を秘めているからである。人間は、いろいろなことを考える。その考えるということが素晴らしい結果をもたらすことがあるわけだが、その考えは常に正しいわけではなく、間違いを起こすことにもなってしまうのである。

機械の正確で効率的なところは、人間を上回っている。ただ、あらかじめプログラムされたことは正確にやってくれるが、それ以上のことはやってくれない。またプログラムが間違っていると暴走してしまう。さらに機械は自らその暴走を止めることもできない。

一方、人間はさまざまなことを想定でき、先に述べたホルモン居酒屋の店員さんの気づきのように、状況判断がうまくできる。そのような能力が人間の優れたところである。

機械的な誤りのチェックは機械に任せるほうが賢明である。そうでなく柔軟に対応することができるのが人間であり、人間には臨機応変な対応が必要とされる場面で活躍できるようにすることが望まれる。それは、次の章で話をするレジリエントな能力につながる。

第9章　ゼロリスクを求める危険性

「事故はあってはならない」、「ヒューマンエラーはないほうがよい」というのは私たちの願いである。しかし、本書で繰り返しているように、事故は起こってしまうし、ヒューマンエラーもなくなることはない。だから人間のエラーを完全になくすことをめざすことには意味がなく、エラーが生じても被害が大きくならないようにすることが大事である。

外的手がかりはその役割を担うものであり、制止、防護、修正によって大きな被害にならないようにするのである。ヒューマンエラーを完全になくすようゼロリスクを求めることはかえってよくない方向に進んでしまいかねない。

新型コロナウイルスへの対処の異常さ

2020年、世界中に新型コロナウイルスの感染が広まった。日本でも同年1月に感染者が確認され、4月には緊急事態宣言が発出されるなど、これまでに経験したことのない異常な事態になってしまった。

新型コロナウイルスの危険性がどの程度なのかよくわからない段階だったからこのような形になってしまったのはやむを得ないが、ひとりも感染者を出してはいけないという風潮は、リスクマネジメントとして決して正しい方向性ではなかったのではないか。感染者が出た場所は消毒がなされ、数日間閉鎖されるような事態になってしまった。その結果、感染してしまった人を犯人扱いするかのような雰囲気さえあった。

連日、陽性者の数が報道され、全国47都道府県の中で最後まで陽性者が出なかった岩手県で陽性者が確認されたときにはニュース速報が流れる始末だった。

感染の拡大が始まった当初は、どのような感染症なのかもわからず、みんなが不安に思っていたので過剰な反応をしたのは致し方ないだろう。しかし、岩手県で最初の陽性者が確認されたのが7月29日であり、国内で最初の感染者が出てからすでに半年が過ぎていた。

陽性者の会社に電話が殺到したり、その会社のホームページのアクセスが増えサーバーがダウンする事態にまでなった。陽性者を非難するような行動に出たのは限られた人であろうが、マスコミの対応はそれを煽るような報道の仕方であったと思われる。

●ひとりの陽性者も出さないことの無意味さ

陸続きの都道府県であるにもかかわらず、ある行政単位ではじめて陽性者が出たことに対して、大騒ぎするのは異常な状態だ。もちろん、対応は行政単位で行うため、行政側からすると、その行政区域内で陽性者が出たかどうかは重要なことではあったかもしれない。

しかし、物理的に断絶されている地域でもないのに、その地域ではじめての陽性者が出たことが特別高いリスクを生じさせたわけではないはずである。ここからは推測だが、こうした異様な状況の中で、犯人扱いされたり、所属する会社などが封鎖されてしまったりするのを恐れて、体調が悪くなっても受診をしなかった人もいただろう。また、無症状の人は検査などを受けていない可能性があり、実態としては、表に出ていない数の陽性者がいたのではないか。

陽性者をまったくゼロで維持することは、あまり意味のないことであったはずである。

人間は人工的に作られたものではなく、自然界に生きている動物である。感染症に罹ってしまうことは不思議なことではないし、それ以外のさまざまな病気にも罹患する存在である。

自然界の事象はすべてリスクを伴うものである。病気や感染、自然災害などだ。そして、人間自身も自然界の存在であるから、人間の為すことにもリスクがあり、ヒューマンエラーを引き起こしてしまう。そのことを踏まえた上で、リスクとどう向き合うかを考えなければならない。完全にリスクをゼロにしようとすることは土台無理なのである。

複雑なシステムには必ずリスクが

人間という生体をひとつのシステムとしてみたとき、それはとても複雑なものだ。生体のしくみを探ってみると、実によくできていて、自然界の中でうまく適応できるように作られている。

外界から酸素や栄養を取り入れ、それを体内で処理し、人間の体を維持あるいは成長させていく。取り入れたものが、文字通り血や肉となっていく。母体が妊娠し出産に至るしくみのなせる業は、その生命の神秘に畏敬の念を抱かせる。そして、病気やケガをしたときに免疫や再生によって自ら回復していくしくみも優れている。また、手足を含めた体などの運動系のしくみもよくできていて、さまざまな動きが自由にできるようになっている。知覚・思考・学習といった知的システムの優秀さは、人間がこれほど発展したことを物語っている。

その人間が世界にさまざまなシステムを作りだした。社会もひとつのシステムであるし、機械や情報のシステムも作ってきた。そしてそれらは機能を果たすために、複雑になってきている。システムが複雑になると、さまざまなエラーが生じてしまう。また、人間という動物に加え、自然現象が関わるような場面であれば、不測の事態を招くこともある。

複雑になるということは、不確定要素が増え、リスクをゼロにするシステムを構築することはできなくなる。ここでいうシステムとは、製造のシステムとかコンピュータのシステムといった機械などに限ったものではなく、社会のシステムも含め、さまざまな手続きのしくみも含めたシステムである。

Safety-I, Safety-IIの考え方

システムが複雑になってくると、エラーをゼロにすることばかりを追い求めていては本来の目的を見失ってしまいかねない。安全を考える上でエラーをなくすことは当然であるが、それが難しいことを考えると、万一、エラーはあってもシステム全体としてうまく働いてくれることをめざすべきである。

そこで、安全やエラーをどうとらえるかを考え直さなければならない。ホルナゲルという安全心理学者が安全に対する考え方としてSafety-IとSafety-IIというとらえ方を提唱した（似たような表現でSafey1.0、Safey2.0といったものがあるがこれとはまったく別物である）[20][21]。ホルナゲルの2つの提唱は、エラー防止に対する考え方に違いがある。

●エラーをなくすことが目標のSafety-I

Safety-Iの考え方は、安全というのはエラーがないことだとし、それをなくすことが目標となる。そのため、エラーが生じたらどのように対処するかが検討される。事故の発生は、エラーを含む何らかの不具合によって起きるものだと考える。そこでの人間という存在は間違いを生じさせてしまう、どちらかというとやっかいなものだと考え、人間にエラーを生じさせないようにすることが求められる。

システムが比較的単純であれば、Safety-Iの考え方でエラーの防止は可能である。しかし、システムが複雑になるとエラーそのものをなくすことは困難であり、そのとらえ方を変えていく必要がある。

●エラーをなくすことを目標としないSafety-II

安全を考える際に、Safety-Iではエラーが少ないことを安全だととらえるが、エラーの少なさを指標としてとらえるのは違和感がある。確かにエラーが少ないことは裏を返せば、安全だということだが、この場合、安全である事象の多さを指標にすべきではないかと考えるほうが自然である。

システムが複雑になると安全を脅かす不確定な要因がさまざまに存在している。問題になりそうな場面に直面しても、人間はそれにうまく対処しようとする。それを評価すべきではないかと考えるのがSafety-IIである。

そのために、安全の対策とはエラーや事故が生じてから対策を検討するのではなく、問題になりそうなことをあらかじめ想定しておいて、そのような場面でうまく対処できる策を先んじて検討するという考え方である。

事故やエラーは、ある人が特別に間違ったことをしたことによって生じるものではない。通常の行動や判断を行っていても、システムが複雑であるといつも同じ状態であることはなく、エラーが生じるリスクが常にあり、不測の事態や想定外のことが起こったりする。そのため、人間に対して、エラーや事故を起こしても責任の追及はせず、問題が生じそうな場面で柔軟に対応でき、うまく対処できる存在だと期待するのである。

本書はそもそもヒューマンエラーを防止するという観点に立つ。つまりエラーに目を向けて防止しようという考え方である。エラーがなくなれば安全になる。

このような考え方自体は間違っていない。しかし繰り返すが、残念ながらエラーは絶対になくならない。エラーを完全に防止することに焦点をあてていては、永遠に目標は達成されない。

要は安全になればいい。エラーをなくすことを考えるよりも、行いたい仕事や作業が満足のいくレベルに達することを目指せばよい。エラーは起こってもいい。ただし、エラーが起こっても外的手がかりで気づかされ、それにうまく対処することを考える。そう考えると安全のとらえ方が違う。安全というのはエラーがないことではなく、事がうまくいくようにすることである。それがSafety-IIの考え方だ。

感染者ゼロを目指すSafety-I、ウィズコロナのSafety-II

新型コロナウイルスの対応を考えてみよう。

感染者を誰ひとり出さないということは安全であるかもしれない。この考え方はSafety-Iに近い。しかし述べてきたように、自然界の中で感染は常に起こりうることであり、それをまったくゼロにすることには意味がない。感染が始まった当初はどのようなものかわからないので、感染者をできる限り少なくすることを求めようとしたのだろうが、そのようなことをいつまでも続けられるわけではない。

症状がなくても陽性者や濃厚接触者を隔離してしまう方策もとった。そのため、経済や社会が停滞して立ち行かなくなってしまったし、感染対策に従事していた行政、医療も疲弊してしまった。

感染者をなくすのではなく、症状が出た人には治療的なケアをしっかり施し、一方で社会や経済がある程度機能するようにする——このような考え方がSafety-IIである。

感染が始まった当初はSafety-Iであった。対策として「感染」という事象だけを見て、

表6　Safety-I と Safety-II の基本的な違い
新型コロナウイルスの場合での対応も併記

	Safety-I	Safety-II
安全の定義	エラーの数が少ない	うまくいったことが多い
	感染者の数が少ない	うまく機能している社会の活動が多い
安全マネジメントの方針	リアクティブ：エラーなどが生じたときに対応	プロアクティブ（先んじた対応）：今後の展開や事象の発生を予測して対処
	感染者が出ると隔離するなど感染拡大防止対策をとる	社会の発展や持続可能性を考えて対処
事故の説明	失敗や不具合によって事故は生じる	結果的に事故になったものもそうでないものも違いがあるわけではない
	不必要な人との接触や感染対策の不備によって生じる	通常の社会の営みをしていても感染することもあり、しないこともある
人的要因の見方	責任	資源
	感染を拡大させる存在	感染の中でも社会をうまく機能させていける存在

それをなくすことだけに注力していた。その裏には社会や経済が崩壊してしまう懸念があった。案の定、経済的な損失だけではなく、学校をはじめ諸活動がストップしてしまった。学生たちにとっては人間として経験し成長の糧とすべき活動ができなかったことによる損失も大きい。その損失の影響はすぐには見えてこないが、将来的に大きな禍根となろう。感染者が出てしまうことは仕方がないとして、社会全体としてうまく機能するようにすることが大事である。その考え方がSafety-IIである。

表6にSafety-IとSafety-IIの違いをまとめた。これはホルナゲルが示した表であるが、それを一般にもわかりやすく修正をし、新型コロナウイルスの場合の対応を併記した。ここで、「感染」を「エラー」に置き換えると、Safety-I、Safety-IIの考え方は理解しやすい。感染者をゼロにしようというとらえ方はSafety-Iである。一方、Safety-IIは社会がうまく機能していくところに目を向ける。これは感染者を無視するのではなく、社会が機能するレベルの範囲内に抑えることが前提である。

人間というシステムに合うのはSafety-II

人間をシステムとして考えると、実はSafety-Iの考えが当てはまらず、Safety-IIで考える必要がある。Safety-IやSafety-IIは安全のとらえ方であり、それを人間に当てはまるとか当てはまらないとするのは奇異な感じがするが、Safey-IやSafety-IIの考え方を理解するのにとらえやすいので、少し考えてみたい。

仮に人間をSafety-Iで考えてみよう。

直線の道路をよそ見もせずにまっすぐに走行しているとする。これが人間の通常状態のあるべき姿だと考える。ヒューマンエラーは、まっすぐ進んでいるところに、何らかの人間の不具合要因があって、まっすぐいかなくなってしまうときに生じる。そして、道路を外れたときがヒューマンエラーと考える。

そのため、ヒューマンエラーを起こしてしまったその不具合要因を見つけ、それを取り除けば、エラーはしない。これはSafety-Iの考え方で、そうであるならば、この考え方に立ってエラー防止を考えればよいことになる。

ところが、実際の人間はそうではない。人間が行う判断や行動は正しいものでは必ずしもない。結果的にヒューマンエラーとなった場合も、逆にうまくいった場合も、もともとの行動としてみたときに大きな違いはない。

人間は道路を普段からよそ見もせずにまっすぐ走行しているわけではない。微妙にくねくね走行している。自転車で走行しているときもそうだ。自転車はバランスをとりながら走行しなければならない。その際、体が直立でまったく動かず、ハンドルも常にまっすぐなんてことはあり得ない。体とハンドルを常に動かし調整しながら倒れずに走行している。

道路が完全に平坦ではないし、人間もじっと同じ姿勢を保つなんてできないからである。もともと動きながらバランスをとっているので、その動きによっては道路からはみ出してしまうこともある。決して、特別なことがあって、はみ出してしまうのではなく、通常の行動や判断であっても、確率的にはみ出してしまう。

Safety-Iの考え方と対照的である。Safety-Iでは、ふらつくことなく一直線に走行していると想定する。そこに特別な不具合要因があって、走行が乱れて道路をはみ出してしまうと考える。一方、Safety-IIの考えでは、もともとくねくね走行しているので、道路をはみ出してしまうのは、十分に起こりえることだと考える。

●通常の場面の中で事故やエラーが生じる

表6の「事故の説明」の違いというのは、ここでの道路をはみ出すことの比喩で考えてみるとよい。Safety-Iでは何らかの不具合によってエラーや事故が生じると考えるが、Safety-IIでは、特別な原因がそのときに生じたとは考えない。

新型コロナウイルスの感染の場合、注意深く感染対策をとっていたと思っていた人も感染しているし、逆にあまり感染対策をとってない人が感染しないこともある。

感染してしまうのもヒューマンエラーを起こしてしまうのも同じようなもので、特別、何かの要因があって感染してしまったり、ヒューマンエラーや事故を起こしてしまったりするわけではない。通常の行動や判断の中で事故になったりならなかったりする。そう考えるのがSafety-IIである。

でも、通常、自転車で走行していて道路からはみ出ることがないと思われるかもしれない。それは道幅が十分に広いからである。仮に極めて狭い道幅だったとすると、はみ出してしまうことは十分考えられる。私たちが行っている仕事や作業の中には狭い道を走行しなければならないようなものがある。つまり非常にリスクが高いところで仕事をしなければならない場合だ。そのようなときにはエラーや事故が生じやすい。

感染も同様で、周りに広がっていれば感染するときはしてしまうし、感染が始まっていないとき、また、広がっていなければ感染しないのである。

●柔軟さがエラーを招くが、うまい対処もできる

Safety-Iの考えでは、人間はエラーをしてしまうやっかいな存在だと考えられてしまう。自転車をうまく運転できず道路から外れてしまうとか、人間の不注意で感染を拡大させてしまうといった見方である。だから、不具合要因さえ除去すれば解決すると考えてしまう。

しかし、Safety-IIの考えに立つと、Safety-Iで考える不具合要因というのは人間が柔軟に対応できる証でもある。柔軟性は両刃の剣である。柔軟であるから失敗を招くこともあるが、逆に困難時に柔軟に対応できる能力も発揮する。不具合要因を取り除くには柔軟性を捨てることになり、確かに失敗はしないかもしれないが、同時にうまく対処できるような能力も失われてしまいかねない。

Safety-IIでは、人間は危機的な場面に遭遇したときにそれに対処できる存在だと考える。もちろん、それにはスキルがあることが前提であるが、うまくやっていくことができる存在として扱う。

自転車で道路から落ちたときに、何もせずにぼーっとしてしまうわけではなく、引き起こしてまた道路に戻ろうとする。落ちてしまっても立て直して道路を走行できる。つまり、対処できる存在である。

感染時もそうである。経済や社会を停滞させないような努力をみんながやってきた。飲食店では感染対策をしながら営業したり、テイクアウトに対応した。一般の会社などもリモートワークを取り入れ、学校もオンライン授業を行うなどした。個人的なことで申し訳ないが、私個人も心理学の実験が自宅でもできるように、スマホで実験できるプログラムを開発した。どの分野の人も涙ぐましい努力で難局を乗り切ってきた。

人間はエラーをしてしまうわけだが、それ以上に困難に対処していく能力を持っている。それをSafety-IIでは評価し、うまくやっていくことが多くなることをめざすのである。

レジリエンスという考え方

Safety-IIの考え方で重要なのはレジリエンス（回復力・弾力性）である。Safety-Iではエラーをなくすことが主眼であったが、Safety-IIではうまくやっていくことが求められる。そのうまくやっていく能力がレジリエンスである。言い換えると、Safety-IIを実現するにはレジリエンスが不可欠だということになる。

レジリエンスがあれば、エラーが生じてもうまく元の状態に戻すとか、柔軟に対応して難局を乗り切れる。ばねのように強靭な復元力で、危機的な状況に遭遇しても、なんとか調整をしながらうまくやっていける。大なり小なり危機的な状況に直面したとき必要な潜在的能力なのだ。

これだけだと抽象的でわかりにくいので、具体的な例で話をしたい。レジリエンスの考え方は安全の文脈から考えられてきているが、わかりやすいように安全とは直接かかわりのない例を私自身の経験の中からお話ししよう。

●大雨の中の伊勢旅行

伊勢神宮に旅行に行ったときのことである。

京都から朝10時の特急電車に乗った。伊勢神宮の最寄りの伊勢市駅まで約2時間。この日の天気予報はあいにくの雨。早めの昼食を列車内で済ませ、昼頃伊勢市駅で下車し、伊勢神宮に参拝する予定であった。ところが警報が出るくらい、傘をさしてもずぶ濡れになる雨になった。大雨の中、駅を出て伊勢神宮まで行く気にはならなかった。スマホにはしきりに大雨の緊急速報が来ていた。しかたがないので、この日の参拝はあきらめ次の日に行くことにした【対処1】。

あらかじめ決めていたこの日の予定は参拝後、伊勢市駅から電車で20分ほどの鳥羽駅まで行き、駅まで迎えにきてくれる送迎バスでホテルに向かうことになっていた。しかし、参拝をあきらめたので送迎バスの時刻までかなりの時間があり、ホテルに行くこともできず、伊勢市駅のホームのベンチで待つことにした。

とはいえ同じ場所にいてもすることもないので、送迎バスの時刻まで時間はあったが、鳥羽駅まで移動した【対処2】。伊勢市駅はほとんど何もなかったが鳥羽駅はターミナルなのだろう。お土産屋などがいろいろあって時間をつぶすことができ、やがて到着した送迎バスでホテルにたどり着いた。

2日目、天候は大丈夫。予定通り伊勢神宮を参拝し、内宮からホテルまで戻るときのことだった。前日にも乗った鳥羽駅からの送迎バスの時刻から逆算して、鳥羽行きの電車の時刻を決めていた。これに乗り遅れるとタクシーで行くしかない。

行きは鳥羽駅から電車で伊勢市駅まで行き、そこからバスで内宮まで。帰りはその逆を辿るが、少し経路が異なっていた。内宮から伊勢市駅までバスで戻って伊勢市駅から電車に乗る予定だった。ところが、内宮前からバスに乗ったものの、時間がぎりぎりだとわかった。間に合うか。そこでこのバスが途中に電車の各駅前に停まりながら運行していることに気づいた。内宮前↓五十鈴川駅前↓宇治山田駅前↓伊勢市駅前といった具合だ。乗りたい電車は伊勢市駅から宇治山田駅↓五十鈴川駅↓……↓鳥羽駅と停車する（図6）。ということは、伊勢市駅まで戻らなくても、五十鈴川や宇治山田でバスを降りてそこから電車に乗ればいいことになる。

　それに気づいたのは五十鈴川駅前を過ぎてからだったから、宇治山田で降りればいい。こうして急きょ降車バス停を変更すると、乗りたかった電

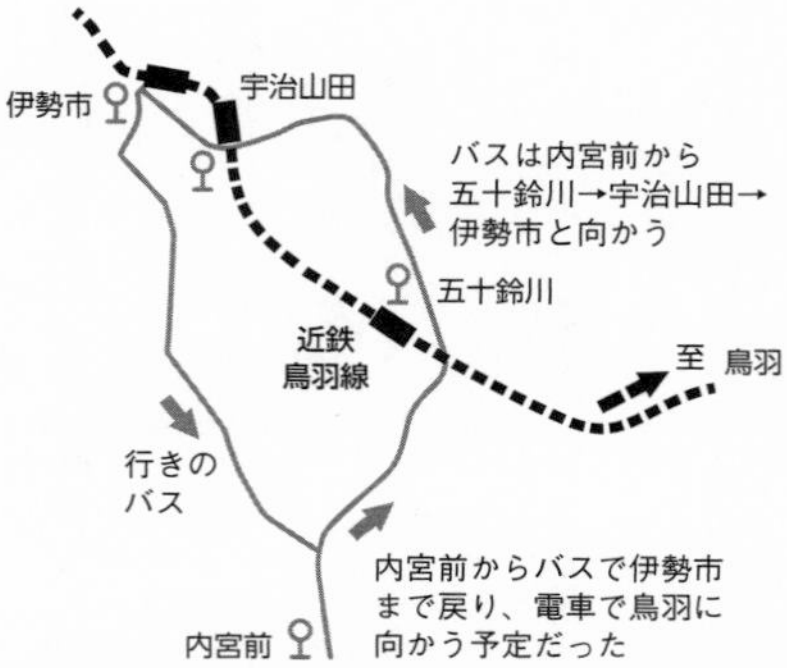

図6　内宮から伊勢市駅にまで戻るバス路線と近鉄電車の路線

車に十分間に合った【対処3】。

●身近にある臨機応変な対応

旅行に行くときは多くの場合、計画を立てる。ところが実際にはその通りにいかないことが多い。想定外のことが生じることもある。「旅にトラブルはつきもの」と言うが、トラブルをなくすことを目的にするのではなく、ある程度のトラブルは織り込んで、その都度その状況に応じてうまく対処し、最終的にある程度旅行として満足できればよい。私もその場そのときに気づいた【対処1〜3】によって、楽しい旅行ができた（ハプニングも思い出である）。

仕事や作業の場面においてもそうであって、最初から決められた通りにミスなくやるのを目的にするのではなく、ある程度の目標が達成されれば、それでよしとすることが大事である。

レジリエンスというのは、実は特別なことではない。旅行の例のように、私たちは日常的な場面でレジリエントな能力が求められていて、それをうまくこなしている。

このように臨機応変な対応はSafety-IIであると考えてよい。旅行がうまくいったというのは、文字通りうまくいったことがどれだけあったかで評価できる。Safety-Iでは、うまくいかなかったことが少ないことが評価となるが、実際の旅行ではそんなことに目を向けるわけではない。

「レジリエントな対応」というと、大事故寸前の危機的な状況からうまく立ち直った英雄的な物語も語られる。たとえば、バードストライク（鳥衝突）によってエンジンが通常通りの機能をしなくなった飛行機が見事ハドソン川に着水して全員無事だったというハドソン川の奇跡、通常の避難所よりも上の高台に逃げて津波の難を逃れた釜石の奇跡、日航機と海保機の羽田空港衝突事故における奇跡の乗客全員脱出などである。

しかし、このようなケースばかりがレジリエントではなく、私たち人間の日常的場面の中でも、レジリエントな能力は常に発揮されている。

Safety-IIの特徴は、事故やエラーを教訓とするのではなく、うまくいった事例を参考に学習していくことである。飛行機事故の回避、災害時の奇跡的な避難など教えられる過去の事例は数々ある。個人的な日常のエピソードでも「こんなときに、このように対処した」という話は、いつか役立つだろう。もちろん、次に同じような場面に遭遇したときにうまくいくという保証はない。しかし、人間はレジリエントに対応していくことを学ぶのである。

リスクとベネフィットを考える

人間が行う判断や行動、自然界で生じる現象、これらには必ずリスクを伴う。つまり、人間が行う営み（機器を使ったりシステムを動かしたりすることも含め）や自然の恵みは、私たちにさまざまな有益なもの、ベネフィットをもたらしてくれる半面、ベネフィットを享受するにはリスクを避けることはできないということだ。

医療の場合、治療で薬の投与を行うが、薬は必ずしも治癒したい症状だけを治すのではなく、副作用を起こすことがある。また、ある患者にとっては薬が有効に働くが、別の患者にとっては有害な事象が発生してしまうこともある。

新型コロナウイルスでのワクチン接種によって体調が悪くなったり、因果関係は実証されていないが接種後に死亡するケースが報じられた。薬物の侵襲的介入には必ずリスクは存在している。

そうしたときに、リスクとベネフィットを個々人がどのようにとらえるかである。医療の場合、どのようなリスクがあるかを患者に伝えてインフォームドコンセント（医師と患者との十分な情報を得た上での合意）を得ているはずである。手術をしたり薬物療法をする場合の効果（ベネフィット）の説明と、どのようなリスクがあるかが説明される。その上でその治療を受けるかどうか個人が判断をする。

日常的な場面でもリスクとベネフィットは常に共存している。車や飛行機での移動は事故に遭う可能性もありリスクは当然あるが、早く楽に移動できるというベネフィットがある。同じように、近年ＤＸにより仕事や生活の場面でいろいろなことが便利になってきた。銀行、役所、店舗などに行かなくても、さまざまな手続きや買い物ができたり、サービスを受けることができる。一方でセキュリティ上のリスクも存在している。ゼロリスクを求めてしまうと現代において仕事も生活もできなくなってしまう。

人工知能がうまくいくのは

近年、人工知能の進展が凄まじい。しかし、人工知能は完璧に物事ができるわけではない。言い換えると間違いが絶対に起きないわけではない。人工知能でも間違える。たとえば機械翻訳などひところに比べれば実用的なレベルになったが、それでも頭をひねるような訳をすることもある。おかしな訳になるというリスクはあるにしても、それよりも外国語の文章を自分で訳していくことを考えると、機械翻訳を利用するベネフィットが大きい。

人工知能がある程度成果をあげるようになったわけだが、人工知能の判断プロセスが明示的にルール化できるようになったわけではない。たとえば、翻訳などの場合、単純に単語を異なる言語に置き換えるルールだけでは不十分で、文脈がある。文脈はルール化が難しい。単純なシステムの場合は比較的容易にルール化できるが、実際の私たちのリアルな世界のようにさまざまな要因が複雑にからみあったシステムであると、明示的にルールを積み上げていくやり方ではうまくいかない。

ルールの積み重ねで完璧なものができるかもしれないが、複雑なシステムでは対応できない。そこで、完璧なもの（ゼロリスク）を求めず、明示的なルールによらない形で人工知能を実現していくことでうまくいっている。

●明示的ルールでは限界がある

将棋の世界では、コンピュータがプロの棋士を超えることはないと20世紀には考えられていた。コンピュータであれば、全ての手を読むことによって、どの手が最善手かを判断できるはずである。ただし、その全ての手の組合せを考えると、天文学的な数字となってしまう。たとえ処理能力が優れたコンピュータであっても、全ての組合せを読むことは不可能であり、それは、今の２０２０年代のコンピュータでも同じである。

しかし、今、コンピュータはプロの棋士よりも強い。それはなぜかというと全ての手を読まないからである。コンピュータの処理能力は昔に比べれば格段に上がってきているため、終盤であるとか詰将棋であれば、全ての手を読むという戦略によって最善手を見つけることができるが、序盤や中盤では、考えられる手の組合せが膨大になるため、全ての手を読むことができない。

これを安全に置き換えると、こうである。安全のための対策として、問題が生じたらどうすべきかの手順を決め、マニュアル化する。システムが複雑になると単純ではなく、例外的なケースが出てくる。さまざまなケースによって対応の仕方が異なる。その度に新たな手順を考え、マニュアルに付け加えていく。これをやっていてはキリがない。この考え方はSafety-Iであり、そこには限界がある。

先に大学入学共通テストの話をしたが、入試ではいろいろな場面が想定され、その場合にどう対応すべきかがマニュアルに書かれている。想定される場面が増えるとマニュアルはどんどん増えていく。全国一斉に同じ条件で行うという公平性を担保するためにこうなってしまう。マニュアルが膨大化し、それに精通してどのような場合にも適切に対処できるのは達人の域に達しつつある。限界に近づいている。

●評価値によって判断

では、コンピュータはどうしているか。これまでのプロの棋譜（指した手の記録）を情報として、どの手が最善であるかを考えるようになった。過去の棋譜を情報として確率的にこの手がいいだろうと予測している。「全ての手を読む」場合は、絶対的な最善手を見つけ出す方略になっているが、「全てを読まない」戦略では、確率的にどの手がよいかを見つけ出しており、それがうまくいくことにつながった。

この考えはSafety-IIの考え方に似ている。Safety-Iではミスをひとつもないようにする、つまり常に最善手を指していくことをめざす。一方、現在の人工知能が序盤や中盤にとっている戦略はSafety-IIである。これまでの棋譜を参考にするというのは、うまくいった事例から学習するようなものである。

コンピュータは何が最善なのかを判断するために、将棋では評価値というものを算出し、それがもっとも高いところの手を選択していく。リスクとベネフィットを算出し、どの程度ベネフィットが高いかを計算すると考えてもよいだろう。

Safety-Iではエラーが少ないことを安全だとし、Safety-IIではうまくいくことが多いことを安全とするとしたが、評価値はこの「うまくいくことが多い」ことに相当する。将棋は限られた盤面で定められた駒だけで行う閉じた世界であるため、評価値を算出することができる。現実の世界の仕事や作業場面では要因が多すぎるため、将棋のＡＩのように評価値を算出できるわけではないが、仮にそれが算出できるようになれば、それがSafety-IIの新たな指標となり得るだろう。

エラーに気づいてうまく対処できればよい

安全に対する考え方のSafety-Iには限界がある。コンピュータで将棋の全ての手を読もうとすることに近い。Safety-Iでは事故やエラーを出さないように、あらゆる場合を想定して、どう対処すべきかを決めていくことが求められる。対処のルールをすべての場合に応じて決める。膨大なマニュアルになり、人間はただそのマニュアルに決められたことを忠実に実行することだけが求められるが、残念ながらそれではうまくいかない。

それよりも、人間が持っている柔軟に対応できる能力を活かし、いろいろな場合における対処をうまくやってもらうようにする考えのほうが、建設的である。ゼロリスクを求めず、Safety-IIでの対応が望まれる。

外的手がかりは、エラーに気づかせるものであった。つまり、エラーが起こりそうだ、あるいは、エラーが起こった、と気づかせるものであり、エラーをゼロにしようとするものではない。エラーが起こることを前提として考えられる対策である。エラーが生じても、大きな被害に至らないようにうまくこなせればよい（そういった意味では、外的手がかりはSafety-IというよりもSafety-IIの理念に近い）。

道路の走行の話をしたが、道路からはみ出したら自分でわかる。しかし、現実のエラーは道路からはみ出す方向に行ってしまっていることがわからない、実際にはみ出しているのに気がつかない状況である。それを外的手がかりで気づかせ、うまく対処していくことがヒューマンエラー防止には大切なのだ。

第7章で、外的手がかりには制止、防護、修正という3つの役割があるとした。これらの役割は、エラーが生じることを前提としており、ヒューマンエラーをどの段階で防ぐのかの話だった。そして、事故を防ぐことによって、大きな被害に至らず最終的にうまくいくことをねらいとしている。

何度でも繰り返そう。ヒューマンエラーをなくすことはできない。とくにエラーを起こしたことに本人は気づけない。だからエラーであることに気づかせて、最終的にうまくいくようになればいいのである。

人間に求められるのは、ヒューマンエラーを絶対にしないことではない。ＩＴやＤＸが進展した時代では、機械のほうが正確に効率よくいろいろなことをこなしてくれる。機械的な細かい業務や作業は機械に任せ、人間はもっと大局的な見地から、想定されないことが生じたときにどう対処できるかが求められていると考える。

おわりに

本書では、人間はエラーに自分で気づいていないので外から気づかせないといけないと述べてきた。そのことを本書の校正で私自身が実感させられた。原稿を出したとき、何度も見直して間違いのないつもりだった。でも、やっぱり間違っている。

そして間違いを見つけ出すプロがいることにも驚いた。校閲の方が微に入り細に入り、単なる誤字脱字だけではなく論理的な誤りにも気づいてくれた。これまで何度も本を書いてきたことはあったが、ここまで丁寧に原稿を見てもらったのは初めてである。恥ずかしい誤りを残したまま世に出さずにすんだのは、プロの校閲の方のおかげである。

ヒューマンエラーに関する本はずっと前から書きたいと思っていた。執筆の気持ちを後押ししてもらった本がある。立教大学名誉教授の芳賀繁先生の『失敗《エラー》ゼロからの脱却』(KADOKAWA)である。わかりやすく書かれており、こんな本が書けたらいいなと、芳賀先生にメールを送ったのが約2年前。そのときの約束が果たせた思いである。

原稿を新潮社につないでくれたのが社会学者・ノンフィクション作家の廣末登さんである。廣末さんは彼が大学院生時代に私が指導した方で、優れた博士論文を書き上げ、その研究をベースに多くの書を執筆されている。そのセンスある文章力は見習いたいと思っている。

そして新潮社の編集の岡倉千奈美さんには、DX等の加筆のアドバイスや、一般の方にも読みやすいように手直しをいただいたりした。読んでみたいと思わせる本に仕上げてくれたことに感謝している。

最後に家族に感謝したい。当時大学生だった次男には最初の原稿を読んでもらったし、妻や長男にも本書の執筆を応援してもらった。本文には家族旅行のエピソードも事例として書いたが、家族の支えがあったからこそ、上梓できた本である。

2024年4月

松尾太加志

【参考文献】

[1] 山内桂子・山内隆久（2000）『医療事故―なぜ起こるのか、どうすれば防げるのか』朝日新聞社

[2] 横浜市立大学医学部附属病院の医療事故に関する事故調査委員会（1999）報告書 https://www.yokohama-cu.ac.jp/kaikaku/bk2/bk21.html

[3] 塚本均・井上祐一・大久保堯夫・小町谷朝生（2003）「全身用経皮吸収剤フランドルテープSに対する薬効（領域）マークと製品名表示の試み」『診療と新薬』40, 285-291.

[4] McDonald, C.J. (2006). Computerization can create safety hazards: A bar-coding near miss. *Annals of Internal Medicine*, 144, 510-516.

[5] 松尾太加志（2012）「ヒューマンエラー防止のための外的手がかり利用の動機づけモデル」九州大学学位請求論文・人環博乙第52号

[6] 東武鉄道株式会社（2005）「竹ノ塚踏切事故に関する安全対策の推進について」

[7] デッカー, S.／著　小松原明哲・十亀洋／監訳（2010）『ヒューマンエラーを理解する―実務者のためのフィールドガイド』海文堂出版

[8] カーネマン, D.／著　村井章子／訳（2012）『ファスト&スロー―あなたの意思はどのように決まるか？』（上）（下）早川書房

[9] 北九州市立大学（2021）「2021年度北九州市立大学文学部比較文化学科入学試験（一般選

抜前期日程）における入試ミスについて」
https://www.kitakyu-u.ac.jp/entrance-exam/post-68.html

[10] ノーマン, D. A. ／著　伊賀聡一郎・岡本明・安村通晃／訳（２０１１）『複雑さと共に暮らす—デザインの挑戦』新曜社

[11] 厚生労働省（２００４）「医薬品関連医療事故防止対策の強化・徹底について」別添４
https://www.mhlw.go.jp/content/10800000/000903676.pdf#page=10

[12] 公益財団法人日本医療機能評価機構（２０２２）「名称類似薬の処方間違い」薬局ヒヤリ・ハット事例収集・分析事業、共有すべき事例２０２２年 №４ 事例２
https://www.yakkyoku-hiyari.jcqhc.or.jp/pdf/sharing_case_2022_04.pdf#page=2

[13] 健康保険鳴門病院誤投薬事故調査委員会（２００９）「健康保険鳴門病院誤投薬事故調査報告書」
https://naruto-hsp.jp/pdf/FMAI_report.pdf

[14] 厚生労働省（２００８）「医薬品の販売名の類似性等による医療事故防止対策の強化・徹底について（注意喚起)」別添１
https://www.mhlw.go.jp/topics/bukyoku/isei/i-anzen/hourei/ dl/081204-1.pdf#page=5

[15] 公益財団法人日本医療機能評価機構（２０１１）「医療事故情報収集等事業　第25回報告書」p.147-148
https://www.med-safe.jp/pdf/report_25.pdf#page=151

[16] 公益財団法人日本医療機能評価機構（２０１９）「医療事故情報収集等事業　第59回報告書」p.79-81.
https://www.med-safe.jp/pdf/report_59.pdf#page=84

[17] 松尾太加志（２００７）「ヒューマンエラーと安全文化」『原子力 eye』Vol.53, No.6, 14-17.

[18] ニールセン, J. ／著　篠原稔和／監訳　三好かおる／訳（２００２）『ユーザビリティエンジニアリング原論―ユーザーのためのインタフェースデザイン』（情報デザインシリーズ）第２版　東京電機大学出版局

[19] 杉江弘（２００６）『機長が語るヒューマン・エラーの真実』ソフトバンク新書

[20] 芳賀繁（２０２０）『失敗《エラー》ゼロからの脱却―レジリエンスエンジニアリングのすすめ』ＫＡＤＯＫＡＷＡ

[21] Hollnagel, E. (2013). A tale of two safeties. *Nuclear Safety and Simulation*, 4(1), 1-9.

松尾太加志　1958(昭和33)年福岡市生まれ。北九州市立大学特任教授（前学長)。九州大学大学院文学研究科心理学専攻、博士（心理学)。著書に『コミュニケーションの心理学』など。

Ⓢ新潮新書

1048

間違《まちが》い学《がく》

「ゼロリスク」と「レジリエンス」

著　者　松尾太加志《まつおたかし》

2024年６月20日　発行

発行者　佐　藤　隆　信

発行所　株式会社 新潮社

〒162-8711　東京都新宿区矢来町71番地
編集部(03)3266-5430　読者係(03)3266-5111
https://www.shinchosha.co.jp
装幀　新潮社装幀室

図表製作・本文レイアウト　クラップス

印刷所　錦明印刷株式会社

製本所　錦明印刷株式会社

ISBN978-4-10-611048-1　C0211

価格はカバーに表示してあります。